ГЛАВА ПЕРВАЯ

Лежа в постели, Вилли Кайзер представлял себе ночь любви с женщиной, чье лицо он не мог увидеть. В квартире они одни. Окна закрыты и занавешены плотными шторами. Она — голая, на ней только черные кожаные сапоги выше колена и кожаный пояс. Длинные волосы распущены. В руках у нее кнут.

Он стоит на полу на коленях, тоже голый, на шее у него собачий ощейник.

Она начинает бить его кнутом, он кричит, и ее это возбуждает. Она бросает кнут, опускается на пол рядом с ним, и он со вздохом наслаждения входит в нее. Потом она надевает ошейник на себя, и теперь уже он хлещет ее кнутом — до крови. Она кричит: «Остановись! Не надо! Не надо-о-о!»

Но на самом деле она хочет, чтобы он продолжал ее хлестать. И они опять занимаются любовью на ковре...

Нелепо считать, что все женщины в сексе мазохистки, что они действительно хотят, чтобы им постоянно причиняли боль. Но если не понять, каким образом вообще можно получать удовольствие от боли, если не понять, почему мужчины мечтают причинить женщинам боль в момент любви, невозможно понять мужскую сексуальность в принципе.

Это мир перевернутых зеркал, детских ночных кошмаров, подросткового стремления поскорее обрести все достоинства зрелого мужчины.

Вилли Кайзер, доктор юриспруденции, прокурор с многолетним стажем, и не подозревал, что все его переживания, связанные с сексуальностью, коренятся в детских эмоциях.

Вопрос: если мужчина все еще не может избавиться от детских страхов, находясь в постели с любовницей, то когда же для него начнется взрослая жизнь? Ответ: возможно, никогда.

Многие мужчины, вырастая, рассекают пуповину, привязывающую их к детским фантазиям и переживаниям. Те, кто не сумел расстаться с прошлым, и не подозревают, что все эти идеи сексуального рабства, пыток и издевательств сформировались у них в раннем детстве.

За всем этим лежит страх опозориться и утратить контроль над женщиной, проявить свою слабость.

Все, что суждено пережить мужчине на протяжении долгой жизни, он уже испытал в детстве. Детские кошмары и страдания будут вновь и вновь возвращаться к взрослому человеку. Только на сей раз роль матери будет играть любовница или жена.

Отцы обыкновенно передоверяют воспитание детей матерям. Поэтому отцы очень поздно входят в эмоциональную жизнь ребенка. Не отцы, а матери кормят младенца, когда ему хочется есть, укрывают его, когда ему холодно, берут на руки и успокаивают, когда он чего-то испугается, или наказывают, когда он нарушает правила приличия.

В случае с Вилли все было еще проще. Он вообще никогда не видел своего отца живым — только на немногих оставшихся фотографиях. Его отец ушел на фронт, когда сыну было всего два года. Вилли воспитала мать, на которую в конце войны обрушились все беды мира. Маленький Вилли об этом и не подозревал. У него была своя жизнь, и в ней мама была центром вселенной, неограниченным самодержцем.

«Не делай этого!» слышал ребенок материнский голос. «Ты должен поступать так, а не иначе. Встань, иди, ложись, ешь, пей» — эти команды управляли его жизнью. Но необходимость подчиняться матери подрывала его самоуважение.

Наконец наступил момент, когда подраставший Вилли в первый раз произнес робкое «нет». Это была попытка вернуть себе независимость, утвердить себя как личность.

Став подростком, Вилли Кайзер начал на все отвечать «нет». Восстав против материнской власти, он утверждал свою независимость. В борьбе за это он старался проводить побольше времени вне дома, на улице, в общении со своими сверстниками. Друзья и приятели ценили в нем совсем не то, что мама. Они хотели, чтобы он был самостоятельным, смелым и решительным. В какой-то момент он понял, что лучше быть хулиганом, чем маменькиным сынком.

Одновременно Вилли попытался стать мужчиной в общении с девочками, но наткнулся на отказ и презрение.

— Что ты позволяешь себе, маленький негодяй? — визжала девочка, которой он запустил руку под юбку. — Убирайся! Я не желаю тебя больше видеть!

Вилли еще не понимал, что говорить сексу «нет» — это традиционная роль девочки. Девочки во всем стараются подражать матерям. А те внушают дочерям, что они должны до последнего противиться недостойным предложениям мальчиков.

— Если что-то произойдет, виновата будешь ты, а не он, — сообщает мама грустную новость своей дочери.

Девочка с детства учится говорить «нет», отталкивать мужчин, не позволять им ничего лишнего и соглашаться на интимные отношения только после свадьбы.

В результате юный Вилли, чье тело уже созрело для любви, сообразил, что он сможет добиться своего только силой. Но он еще не подозревал, что в этой борьбе за право укладывать женщин в постель он проведет всю жизнь.

— Я разрешу тебе это, только если мы поженимся, — говорила ему девушка, с которой он встречался.

— Нет, только не сегодня, потому что ты очень грубо себя ведешь. К тому же ты выпил, а я неважно себя чувствую, — говорила ему жена.

— Отстань, меня это совершенно не интересует, — говорила ему женщина, которую он мечтал сделать своей любовницей.

Всякий раз это больно ранило Вилли. Он воспринимал отказ как оскорбление, словно женщина выражала сомнение в чем-то самом для него главном — в его силе и мужестве. Отказ женщины лечь с ним в постель возвращал Вилли к тем временам, когда всем в его жизни распоряжалась женщина — мать.

Некоторые мужчины с головой уходят в работу, другим — более счастливым — удается найти покладистую женщину. Третьи начинают пить.

Некоторые мужчины вовсе не в состоянии справиться со своим гневом. Они погружаются в садо-мазохистские фантазии, которые придают им ощущение силы и власти. Избивая женщину, издеваясь над ней, мужчина наконец-то берет реванш за все унижения, причиненные ему женщинами, в первую очередь его матерью.

Сладость полного господства над женщиной Вилли Кайзер впервые испытал в сорок с лишним лет. Его брак окончательно разрушился — надменная и чопорная жена из обедневшего, но знатного рода уехала к родственникам во Франкфурт. Она гордилась своим дворянским происхождением даже в республиканские времена.

Вилли Кайзер несколько дней, сказавшись больным, беспробудно пил дома. А в ближайшее воскресенье один из приятелей свозил его в дорогой публичный дом в Гамбург. Они хорошо заплатили, и Вилли получил то, о чем мечтал всю жизнь.

Проститутке было под сорок. Высокого роста с плотной фигурой и коротко стриженными волосами, она оценивающим взглядом смерила Вилли с ног до головы и вытащила из шкафа большой хлыст, сапоги, кожаные куртку и штаны.

— Переодевайся, — приказала она низким резким голосом. Вилли, неловко посмеиваясь, снял костюм, галстук и рубашку и натянул на себя все кожаное. Новенькая куртка поскрипывала у него на плечах. Он взял в руки хлыст и с интересом посмотрел на себя в зеркало.

Он увидел в зеркале молодого еще человека с надменным лицом и жестким взглядом. Он повернулся к проститутке и нетерпеливо посмотрел на нее. В кожаной куртке, с хлыстом в руках и рядом с этой женщиной, готовой покориться, он почувствовал себя другим, настоящим человеком.

Теперь она начала медленно раздеваться. Сбросила шуршащую юбку, которая упала на пол, расстегнула блузку, которая последовала за юбкой. Нижнего белья на ней не было. Она расстегнула бюстгальтер, и Вилли увидел большую грудь с крупными темными сосками. Грудь слегка обвисла под собственной тяжестью, но это ее нисколько не портило. Ему всегда нравились большие груди, у его жены с этим было неважно.

Очень медленно и глядя Вилли прямо в глаза, она стащила с себя трусы и выпрямилась. Темный густой треугольник бесстыдно выделился на белом теле. У него пересохло во рту.

— На колени! — скомандовал Вилли.

Как странно, подумал Вилли, он точно знал, что ему надо говорить и как себя вести. Рукоятка хлыста удобно лежала у него в руке. Он всегда хотел испытать это сладостное чувство полной власти над женщиной.

Она беспрекословно опустилась на пол, ее большие груди соблазнительно колыхались при каждом движении. Она подползла к Вилли и обняла его колени.

— Я — твоя раба, — прошептала она. — Делай со мной все, что хочешь.

— Ты дрянь, — внятно и громко сказал Вилли. — Ты жалкое ничтожество, недостойное целовать мне ноги.

— Прости меня, прости меня за все, — жарко шептала проститутка. — Я одна во всем виновата. Ты щедрый и великодушный! Я заставила тебя страдать, но я молю о прощении.

Перед тем как подняться с проституткой в ее комнату с большим зеркалом и двуспальной кроватью, Вилли выпил внизу, у буфетной стойки два двойных коньяка. Сейчас жаркая волна ударила ему в голову. Эта дрянь бросила его!

Жена издевалась над ним все шесть лет, что они были в браке. Ей не нравились его манеры, его неумение вести себя в высшем обществе. Она бросала на него испепеляющие взгляды, когда он осмеливался открыть рот. А что такого ужасного он говорил? У них в деревне все так говорили. Даже его высокое назначение ничего не изменило в их отношениях. Она считала, что он просто превратился в полицейского.

— Неужели ты не мог заняться адвокатской практикой? Мы хотя бы жили сейчас в приличном доме. И мне не было бы стыдно за тебя перед друзьями моих родителей, — шипела она. — Бедная мама, она предупреждала меня, что ни в коем случае нельзя выходить за тебя замуж.

После каждого такого спора она неделю не пускала Вилли в свою спальню. После ужина уходила к себе и демонстративно запиралась на ключ. Поначалу Вилли пытался убедить ее открыть дверь, жалко переговаривался с ней через замочную скважину, умолял впустить. Она никогда не меняла гнев на милость. После этого он назло ей напивался в гостиной. Несколько раз утром она заставала его спящим прямо в кресле. Он просыпался от ее презрительного взгляда.

Тварь! Сука! Вилли вновь охватил гнев, и впервые в жизни он мог его не скрывать.

— Ты заплатишь мне за все, — твердо сказал он.

Его рука дернулась, и хлыст в первый раз опустился на спину проститутки. Она закричала:

— Прости, прости меня! Никогда больше я не посмею возражать тебе!

Но Вилли ее не слышал. Он с наслаждением хлестал проститутку. Он полностью отдался этому сладостному делу. Он сквитался с ней, с этой мерзкой дрянью, сквитался с ней за все.

Большое белое тело дергалось в такт его ударам. Свист хлыста, ее крики и вопли странно волновали его. Он почувствовал возбуждение, и его рука ослабла. Он уже не столько хлестал, сколько поглаживал женщину. Она подползла к нему. Он почувствовал, что она целует ему ноги. Ее руки медленно поднялись верх и остановились там, где им следовало быть.

Она расстегнула ему брюки, и они сразу же упали. Она приникла к нему губами. Боже, подумал он, ему ни разу в жизни не удалось убедить жену согласиться на такое!

Он выронил кнут. Она подняла голову и прошептала:

— Возьми меня, мой господин. Я — твоя.

Он опустился рядом с ней, и она обняла его мягкими прохладными руками. Он набросился на нее с таким пылом, что через несколько минут все закончилось. Но он все лежал на ней, уткнувшись лицом в полную грудь, и плакал. Почему только сейчас, на пятом десятке он получил то, чего желал всегда?

Проститутка ласково гладила его по голове и шептала ободряющие слова. Ее служба закончилась, когда он встал и начал одеваться. Она зевнула и повернулась спиной к зеркалу, чтобы посмотреть, не слишком ли видны следы от хлыста на спине. Вечером она ждала еще одного клиента, у которого было несчастное детство и неудачный брак. Раз в неделю он приходил в публичный дом, чтобы его как следует отстегали кнутом.

Гамбургская проститутка никогда прежде не встречалась с Вилли. Она не знала, что именно его мучило. Но такие мужчины являлись к ней каждый день. Она научилась их понимать, поэтому ей платили так много, несмотря на ее возраст — она была старше всех в публичном доме.

И она привыкла не интересоваться, кто ее клиенты. Ей и не надо было знать, что человек, которого она приобщила к радостям секса, руководил службой государственной безопасности страны — Федеральным ведомством по охране конституции. Вилли Кайзер, побывавший в гамбургском публичном доме, вел борьбу с иностранными разведчиками и внутренними террористами. И у него были большие неприятности на службе.

В бане гостевого загородного дома Комитета государственной безопасности СССР происходило то, что осторожные немецкие гости именовали товарищеской встречей коллег, а приятно возбужденные русские хозяева называли просто пьянкой с помывкой.

Немецкая делегация прилетела в Москву в четверг вечером. Всю пятницу и субботу шли деловые встречи, а в воскресенье, дав немцам выспаться, хозяева повезли их на секретный загородный объект Комитета госбезопасности, известный своей баней и хорошим поваром. Баню соорудили специально для иностранных гостей.

Немцев было шестеро. Четверо прилетели из Берлина, двое постоянно работали здесь, в Москве, в посольстве ГДР. Все как на подбор молодые ребята, кроме подполковника Клауса Штайнбаха, он был старше и служил в разведке, а остальные — в техническом управлении Министерства госбезопасности ГДР.

Все немцы хорошо говорили по-русски: кто у себя в Берлине научился, а кто в Москве — в Высшей школе КГБ, на курсах подготовки специалистов для братских стран.

Русских приехало человек десять.

Час плавали в бассейне, затем парились.

В бане было шумно и весело. Немцы травили старые советские анекдоты, старательно и со смаком ругались матом, что им самим очень нравилось и что страшно веселило русских.

Немцы, не выдержав, первыми выползли из парилки. Дольше всех продержался подполковник Штайнбах. Он облюбовал себе верхнюю полку и наравне с русскими выбегал окунуться в бассейн. Веником умело охаживал соседа.

— Здоров парень! — восхищенно зашептал Игорь Федоровский, мускулистый белокурый полковник из управления нелегальной разведки. — Наш человек!

— Он и есть почти что наш, — так же шепотом откликнулся подполковник Маслов, который работал в подразделении, отвечавшем за сотрудничество с братскими разведками.

До этого Маслов сам служил в ГДР. В Берлине он обзавелся пивным брюшком, которое теперь старательно обхаживал березовым веником в наивной надежде похудеть.

— Штайнбах сидел у нас после войны в лагере, — вполголоса добавил Маслов.

— Нацист бывший? — насторожился бдительный Федоровский.

— Нет, пацан из гитлерюгенда. В апреле 1945-го наши его с фаустпатроном в руках прихватили. Он на допросе какую-то чушь нес, вот его и загнали в Сибирь, — меланхолично ответил Маслов.

— Не обиделся? Зла не затаил? — продолжал расспрашивать Федоровский, с интересом разглядывая немецкого подполковника.

— Наоборот, это наши лучшие кадры. В Берлине таких сколько хочешь. — Маслов усмехнулся. — Еще и благодарны нам за избавление от фашистской заразы. Они все через школы антифашистского актива прошли, там им объяснили, что к чему.

Подполковник Маслов соскользнул с полки и распахнул дверь.

— Все, я иду туда, где трудно, а то, понимаешь, водка выдыхается.

Последних выбравшихся из бани встретили приветственными криками и штрафными бокалами. Пиво было свежее, бочковое, а не бутылочное. Водку вытащили из холодильника. На стол вывалили воблу. Штайнбах, закутанный в простыню, ухватил самую здоровую за хвост и стал бить о край стола.

Федоровский, пригладив жидкие волосы, решительно поднялся. Граненый стакан водки казался крохотным в его огромном кулаке:

— Предлагаю выпить за нерушимое единство народов Советского Союза и Германской Демократической Республики!

— До дна! — подхватили по-русски немцы.

Первые уроки пития по-русски они получили, когда учились в Высшей школе КГБ в Москве.

Дисциплина в Высшей школе КГБ была суровой даже для иностранцев, но в выходной день выпить не возбранялось. Напротив, преподаватели желали знать, кто сколько в состоянии выпить и при этом не потерять контроль над собой. У разведчика должны хорошо работать голова, язык и печень, говорили преподаватели.

— Добрая закуска, — с полным ртом пробормотал Маслов. — Совсем как в Берлине.

Он очищал свою тарелку с завидной скоростью.

— Да, со снабжением у немцев неплохо, — согласился кто-то из москвичей.

— Как сейчас с едой в Москве? — сочувственно спросил кто-то из немцев.

— Отлично, все есть, временные трудности позади, — уверенно ответил Маслов и строго оглядел окружающих. — Партия заботится о народе. Товарищ

Брежнев здорово двинул дело вперед. Он энергичный и знающий руководитель ленинского типа.

— Предлагаю тост за товарища Брежнева, вождя советских коммунистов и настоящего друга нашей страны! — вскочил немецкий майор.

Он лихо осушил стакан и рухнул на стул. Глаза его остекленели. Несколько мгновений он сидел, не шевелясь, потом вернулся к жизни и полез за закуской, неуверенно тыкая вилкой в тарелку с ветчиной.

Потом пили за политбюро, за КГБ СССР, за МГБ ГДР, за чекистское братство. Последние тосты смогли поддержать уже не все. Двоих молодых немцев нежно переложили в мягкие кресла, пылившиеся в углу, и они заснули.

Наравне с русскими пили Штайнбах и смуглый, чернявый капитан Хоффман. Штайнбах расспрашивал москвичей о театральных премьерах и вспоминал самодеятельный театр в лагере для военнопленных. Хоффман, поминутно вытирая пот со лба, вдруг заявил, что будет играть на гитаре. Это случалось с ним только в большом подпитии.

Маслов изъявил желание достать гитару.

— Целлер! — окликнул он лейтенанта, который кружку за кружкой глотал пиво, а водку не пил. — Ты почему опять не выпил за здоровье немецких товарищей? Ты же сам немец, должен радоваться, что своих видишь.

— Я выпил, — отозвался стриженный ежиком Целлер.

Он знал, что сейчас услышит, и его пухлое лицо заранее обиженно скривилось.

— Что ты выпил? Пиво ты сосешь, а настоящие чекисты пьют водку! — оборвал его Маслов. — Какой же ты, к черту, чекист? Переведем тебя в хозяйственное управление или вообще выгоним. На хрен мы тебя вообще сюда взяли, а?

— Оставь ты его. Не скандаль при гостях, — нехотя вступился за него Федоровский.

Набравшийся Маслов пропустил его слова мимо ушей.

— Найди мне гитару, — приказал он.

Целлер встал.

— Здесь нет гитары, товарищ подполковник.

— Не возражать! — отрезал Маслов. — Выполняй приказ. Какой же из тебя, твою мать, чекист, если ты не можешь найти даже гитару? Шпиона ты у себя в собственной заднице не найдешь.

Все радостно захохотали.

Когда растерянный Целлер вышел, подполковник Штайнбах удивленно спросил Федоровского:

— Зачем вы у себя таких охламонов держите?

— Его папа — старый барабанщик, в смысле старый член партии, — заплетающимся голосом пояснил Маслов. — После войны на Украине гонялся за бандеровцами по схронам вместе с нашим первым зампредом.

Маслов потащил ко рту стакан, но рука мелко дрожала, и половина пролилась на тарелку с жареным мясом.

— Чего вы у себя в управлении цацкаетесь с этим старьем? — разозлился пьяный Маслов. — Впрочем, у немцев еще хуже. Куда ни придешь, сидят какие-то старперы. Они только и занимаются, что пионерам рассказывают, как в концлагерях сидели. А еще надо проверить, почему они выжили в концлагере. Может, с гестапо сотрудничали?

Маслов цепкой рукой ухватил Штайнбаха за рукав белой рубашки:

— Вам надо от этого старья избавляться. А то у вас кого ни возьми — или в лагере сидел, или еврей. Это никуда не годится, вот что я вам скажу.

Внезапно встрепенулся Федоровский, который сунул в рот сигарету не той стороной и тщетно пытался ее прикурить, держа спичку у фильтра.

— А я слышал, что ваш начальник разведки Маркус Вольф — полуеврей. Правда, что ли?

Подполковник Штайнбах отцепил руку Маслова от своей рубашки и повернулся к Игорю Федоровскому:

— Лично меня нацисты навсегда отучили задавать вопрос: кто еврей, а кто полуеврей.

Слова Штайнбаха повисли в воздухе.

Мгновенно протрезвевший Маслов первым нарушил неловкое молчание:

— Может, нам, ребята, на воздух выйти? Погуляем? Завтра опять засядем оборудование монтировать, так ничего и не увидите. А во вторник вам уже назад в Берлин.

Тюрьма, где держали осужденных членов террористической организации «Революционные ячейки», казалась со стороны бетонным чудовищем, начиненным собственной сетью телекамер, и, по словам начальника тюрьмы, гарантировала полную изоляцию заключенных.

На самом деле адвокаты свободно приносили своим осужденным клиентам все, что те просили, — от дорогих фотоаппаратов до самодельных электроплиток для приготовления еды.

Заключенным, у которых уже был фотоаппарат, регулярно посылали пленку, потом забирали у них отснятые ролики. Заключенные сами себя фотографировали миниатюрной камерой «минокс», а тюремщики никак не могли понять, откуда в газетах все эти свежие снимки.

На воротах тюрьмы висел плакат, отпечатанный по заказу Федерального ведомства уголовной полиции: «Чужих здесь не знают. Не каждый приходит сюда с честными намерениями. Поэтому особое недоверие не является невежливостью».

Несмотря на строгий тон плаката, в те буколические времена немолодые тюремные надзиратели были поразительно наивны. Они хранили врожденное почтение к адвокатскому сословию и не подозревали, что молодые адвокаты плевали на традиции и юридические нормы.

У сидевших в тюрьме террористов было множество поклонников. В стопке бумаг они вырезали отверстие, в углубление клали передачу, заклеивали и отдавали папку адвокату, которому предстояло понервничать минут десять, пока его впускали в тюрьму.

Тюремное здание построили больше ста лет назад. В нем содержалось почти полторы тысячи заключенных. Шестьсот человек ежедневно приходили и уходили из тюрьмы, в основном это был обслуживающий персонал; кроме того, тюрьму регулярно посещали ремонтники, электрики, врачи, адвокаты и ортопеды.

В обеденный перерыв две молодые женщины предъявили на входе удостоверения адвокатов и потребовали провести их в комнату свиданий.

Удостоверения были поддельными, но пожилой равнодушный надзиратель этого не заметил. Детекторов металла в тюрьмах еще не было, и женщины преспокойно вошли в тюрьму с двумя пистолетами и автоматом в большой сумке, где сверху для вида лежали новенькие папки для бумаг и свежие газеты.

Дитер Рольник принадлежал ко второму поколению бойцов «Революционных ячеек». Ему было двадцать три года, когда он подложил взрывное устройство под двухэтажное здание клуба на американской военной базе в Германии. Один американский солдат погиб, трое были ранены. Через три месяца Дитера Рольника случайно арестовали во Франции. Вместе с ним задержали несколько его друзей.

Когда французские полицейские стали фотографировать арестованных, они отворачивались от камеры, закрывали глаза и корчили рожи. Темпераментная подружка Дитера еще и укусила двух полицейских, которые пытались ее обыскать.

Серьезный приговор грозил одному Рольнику — нашлись свидетели, которые видели, как он закладывал взрывное устройство под здание американского клуба. Поэтому «Революционные ячейки» приняли решение освободить Дитера еще до суда.

Две женщины с поддельными удостоверениями беспрепятственно добрались до комнаты, где Дитер Рольник беседовал со своим адвокатом. Надзиратель попытался вежливо остановить их:

— Вам, наверное, не сюда. Эта комната занята.

Одна из женщин ударила его по лицу, другая ворвалась в комнату с криком:

— Давай, Дитер, выходи!

Она сунула ему в руки пистолет. Прикрикнула на адвоката:

— Лезь под стол!

Перепуганный пузатый адвокат безропотно полез под стол и сел на корточки, сложив руки на голове. Он даже не смог определить, кто ворвался в комнату и загнал его под стол — женщина или мужчина. Когда его потом допрашивали в полиции, он честно признался:

— Единственное, что я видел, это был черный автомат, свисавший на ремне.

Дитер Рольник выскочил с пистолетом в коридор.

Стоявший в коридоре надзиратель уже пришел в себя, он успел включить сигнал тревоги и обезоружить одну из нападавших. Но Рольник схватил другого надзирателя и под дулом пистолета потащил его к воротам. Женщины бросились за ним.

Дежурный не хотел открывать им дверь, но все-таки ему пришлось это сделать после того, как Рольник прострелил ему ногу. Одного-единственного выстрела хватило, чтобы лишить надзирателей желания сопротивляться. Раненый дежурный рухнул с воплем и стал кататься по полу, а Рольник и его освободительницы беспрепятственно вышли из тюрьмы, сели в машину и исчезли.

Надзиратели попытались связаться с полицейским патрулем, который находился, как выяснилось впоследствии, всего-навсего на соседней улице, но из-за плохой радиосвязи у них ничего не вышло.

Начальнику городской полиции и начальнику тюрьмы пришлось подать в отставку, после чего исчезнувших преступников стали искать с утроенной энергией.

Полицейским удалось найти машину, на которой бежали Рольник и его освободительницы, и квартиру, где они провели первую ночь. Больше у следствия успехов не было. Рольник и его женщины словно в воду канули. Правительство выразило неудовольствие всем, кто занимался розыском, в том числе руководителю Федерального ведомства по охране конституции Вилли Кайзеру. Он обещал накрыть террористическое подполье, но не выполнил своего обещания.

Полиция сумела только арестовать девушку, которая наняла для террористов машину и квартиру. Она отказалась давать показания, иных преступлений за ней не числилось. Тем не менее скромная, коротко стриженная девушка, с большими серыми глазами, по имени Петра Вагнер получила пять лет тюрьмы за соучастие в организации побега террориста Дитера Рольника.

Петра была студенткой и готовилась стать воспитателем в приюте для неполноценных детей. В свободное время она ухаживала за тяжелыми больными в хирургическом отделении городской больницы. Это вызывало симпатию, и общественность осталась недовольна жестким приговором милосердной студентке.

В тюрьме Петра изобрела свою стратегию выживания, сохраняя подвижность тела и ума. Подолгу занималась йогой. Писала длинные письма друзьям и нравоучительные сказки для маленького брата, который учился в третьем классе.

Она любила сосать палец в качестве успокаивающего средства, предпочитая это курению.

У нее в камере была электрическая розетка. Ей разрешили купить маленький телевизор и кипятильник, то есть она могла в любое время выпить чаю или кофе. Еще в камере была настольная лампа и вделанный в стену радиоприемник с четырьмя программами.

Зато ее камера прослушивалась. Правда, по правилам, в этот момент в самой камере должна была загораться лампочка. Этот же прибор позволял связываться с надзирателями. Однажды лампочка загорелась ночью, и неприятный голос проквакал из динамика: «Что вам нужно?» Петра послала его к черту. Оказалось, аппарат сработал из-за сырости.

Петра часто думала о том, что она позволила поймать себя исключительно по собственной глупости. Она поклялась, что во второй раз ее не возьмут.

Этот неказистый парень даже не забыл преподнести ей букетик ландышей. Он стоял с цветами в передней и, едва она вошла, вручил ей цветы и мгновенно прильнул к ее губам.

Она прижалась к нему всем телом и поняла, что он уже готов. Он стянул с нее легкий плащ и крепко обнял. Его опытные руки сразу определили, что сегодня нижнее белье она не надела. Он опустился на колени. Раньше чем она успела понять, что происходит, его голова оказалась у нее под платьем и в дело вступил его язык, нежный и напряженный.

Этого она еще не испытывала. Она и не подозревала, что языком можно выделывать нечто подобное. Она почувствовала слабость в коленях, голова у нее начала кружиться. Только одна мысль преследовала ее: сколько же времени в жизни потеряно впустую!

Он поднялся с колен и заодно стащил с нее платье. Расстегнул брюки, и она увидела, что скрывалось у него в трусах. Это тоже было много больше виденного доселе.

Она не могла глаз отвести от этой штуки, которая казалась ей самой замечательной игрушкой, которую только можно придумать. Она схватила эту игрушку обеими руками и поняла, что сравнение было неправильным. Это была не игрушка, это был настоящий зверь, горячий, импульсивный и требовательный.

Она думала, что ни за что не сумеет вместить такое чудовище. Когда он вошел в нее, она вскрикнула от боли, показалось, что ее пронзило огненное копье. Но боль незаметно сменилась чудесным чувством удовлетворения.

— Еще, еще! Сильнее! Сделай мне больно! — кричала она, не слыша своих слов.

«Только бы это не закончилось», — думала она.

Он был неутомим. Одна сладкая волна сменялась другой. Пот капал с его лица ей на грудь. Она хотела вытереть ему пот, но у нее не было сил даже поднять руку.

Когда зверь устал и вывалился из нее, она неловко переползла к его ногам. Она впервые трогала губами и языком то, что представляло собой мужскую сущность. Она старательно облизала засыпающего зверя, оставшиеся на нем теплые капельки были странного солоноватого вкуса. Он благодарно погладил ее по голове. Инстинктивно она сделала то, что больше всего нравится мужчинам после акта любви.

Полковник Федоровский, не отрываясь, смотрел на небольшой экран. Сидевший рядом с ним техник, молоденький лейтенант с редкими рыжими усиками, открыв рот, наблюдал за происходящим. Его лицо кривилось в похотливо-завистливой улыбке.

Лейтенант второй год служил в управлении оперативно-технического обеспечения. Он получал большую зарплату с доплатой за секретность и квартальные премии, но всю смену сидел в комнате с глухо занавешенными окнами, возился с фототехникой и жизни не видел.

— Ни фига себе! — не переставал восхищаться он. — Ты видел, видел, как он ей засадил? Ну мужик, ну дает! Повезло же парню. Была бы у меня такая штука, разве бы я здесь сидел!

Хладнокровный Федоровский одернул его:

— Не забывай снимать!

Техник отмахнулся:

— Да уж вторую пленку отщелкал.

Новое оборудование, созданное восточными немцами в сотрудничестве с Центральным научно-исследовательским институтом специальной техники КГБ, работало прекрасно. Тайно размещенные в конспиративной квартире этажом ниже магнитофоны записывали даже то, что говорилось шепотом. А специальная аппаратура позволяла еще и наблюдать, что происходит в квартире, и фотографировать находящихся там людей.

Три комплекта новенькой аппаратуры с замечательной цейссовской оптикой были подарком министра государственной безопасности ГДР Эриха Мильке новому председателю КГБ Юрию Андропову.

В КГБ, правда, подозревали, что восточные немцы, скорее всего, скопировали аппаратуру с западногерманского образца, но значения это не имело. Все так делали.

Андропов распорядился немедленно изучить и освоить оборудование, а если оно понравится оперативному составу, то и разместить секретный спецзаказ на лучших заводах ГДР.

Аппаратура предназначалась для второго главка, для контрразведки, но начальник Первого главного управления договорился, что внешняя разведка получит один комплект и сможет его опробовать.

Когда конспиративная квартира внизу опустела, техник обессиленно сказал Федоровскому:

— Ну, товарищ полковник, такого удальца я еще не видел.

Белокурый Федоровский насмешливо глянул на него:

— А что ты вообще видел, мальчик?

Перевозбудившийся техник попытался возразить, но полковник строго добавил:

— Ты больше делай и меньше говори. Привыкай держать язык за зубами, а то на нашей службе наживешь неприятностей.

Федоровский подписал все бумаги, зашел в туалет, потом умылся, надел новенькое драповое пальто, которое купил на распродаже для офицеров комитета, и ушел.

Техник злобно посмотрел ему вслед и скривился:

— Чтоб ты сдох, падло!

Кабинет генерала Калганова был большой и скучный. Другие генералы в Первом главном управлении КГБ старались как-то украсить свой служебный быт. Калганов ничего лишнего на рабочем месте не держал.

Полковник Федоровский разделся в приемной и зашел к генералу. Калганов показал ему на жесткий канцелярский стул.

— Аппаратура работает безукоризненно. Претензий к немцам нет, — доложил Федоровский.

— Хорошо видно?

— И видно, и слышно, — рассмеялся Федоровский.

Генерал недоуменно поднял брови.

— Квартира-то не пустой оказалась, — объяснил полковник.

— А кто там был? — недовольно спросил Калганов, наклонясь вперед. — Это же конспиративная квартира нашего управления. Она, правда, давно не использовалась. Но чужих там быть не должно. Я же приказал следить за порядком.

— Вот наш охламон и следит, — Федоровский с удовольствием повторил услышанное от Штайнбаха звучное словцо.

— Охламон — это лейтенант Целлер? — хмуро переспросил генерал.

— Так точно! Парень водит туда девок, как к себе домой.

Федоровский вытащил из папки полученные в фотолаборатории снимки. Разложил их на столе перед Калгановым.

— Наш охламон оказался просто-таки сексуальным террористом, — со смешком доложил Федоровский. — Что он с этой бабой выделывал, просто уму непостижимо. И продолжалось это часа два без перерыва. Я не знаю, как эта баба домой дойдет. По-моему, она на ногах не держалась.

Затем захлопнул папку и деловито спросил:

— Будем составлять документы на увольнение Целлера из комитета или без скандала вернем его в радиомастерскую? Все равно он в нашем деле ни на что не годится.

Калганов ответил не сразу. К удивлению Федоровского, который ожидал, что генерал с отвращением отбросит снимки и прикажет немедленно гнать Целлера из чекистских рядов поганой метлой, Калганов стал внимательно их рассматривать. Даже достал из стола лупу. Он видел, что полковник следит за ним с удивлением, но никак не реагировал. Закончив изучение фотоснимков, которые можно было смело печатать в порнографическом журнале, генерал Калганов задумчиво посмотрел на полковника.

— Во-первых, заберите негативы из фотолаборатории и принесите мне. Во-вторых, предупредите техника. Если он сболтнет о том, что видел в квартире, пойдет под трибунал. В-третьих, увольнять Целлера не будем. Вам все ясно, Игорь Мокеевич?

Полковник Федоровский научился тонко чувствовать интонации своих начальников. Он поднялся со стула и вытянулся:

— Так точно, товарищ генерал.

— Можете идти.

Окончательно растерявшийся полковник вышел из кабинета и подумал, что генерал, наверное, тронулся. Его подозрения, вероятно, усилились, если бы он знал, что, оставшись один, генерал вновь стал разглядывать снимки. Причем Калганова интересовали отнюдь не прелести незнакомки, как это можно было бы предположить, а мужские достоинства лейтенанта Целлера.

Потом генерал снял трубку внутреннего телефона и соединился с дежурным по главному управлению разведки:

— Найдите лейтенанта Целлера и привезите его ко мне домой на оперативной машине в десять вечера. Знаете мой адрес?

Ответственный дежурный, взяв остро отточенный карандаш, записал адрес генерала Калганова, начальника управления «С» — нелегальная разведка, аккуратным почерком прирожденного канцеляриста.

Вместо пяти лет Петра Вагнер, соучастница нападения на тюрьму, провела за решеткой всего один год. Суд высшей инстанции и в самом деле счел приговор излишне суровым. Молодая девушка из хорошей семьи, никогда не нарушала закон, запуталась, попала под дурное влияние, сейчас раскаивается, ей преподнесен хороший урок, она твердо настроилась на исправление...

Родители хлопотали, газеты сочувствовали, адвокаты старались. Словом, ее выпустили за хорошее поведение.

К ужасу одних и молчаливому восхищению других, Петра Вагнер, выйдя из тюрьмы, решила как ни в чем не бывало вернуться домой. В большом городе ее появление прошло бы незамеченным. В большом городе, но не в ее родном городке.

В детстве Петра Вагнер стеснялась говорить, где она родилась. Потом, напротив, научилась произносить название родного города с вызовом. Петра Вагнер родилась в городе Дахау.

Один из первых устроенных нацистами концентрационных лагерей, который принес печальную славу городу, стоял в стороне. На месте лагеря был после войны устроен музей, но горожане туда не ходили. Жители Дахау, баварского городка с более чем тысячелетней историей, утверждали, что в 1933-м они голосовали против нацистов и в создании концлагеря не виноваты.

Когда Петру освободили, встретить ее она попросила свою лучшую школьную подругу Кристину фон Хассель, которую все, кроме ее собственных родителей, называли просто Кристи.

Она приехала за Петрой на машине. Подруги обнялись. Петра забросила в багажник битком набитую сумку и плюхнулась на сиденье рядом с Кристи.

Петра здорово располнела в тюрьме, у нее появился второй подбородок, но черты лица стали жестче. Она постриглась совсем коротко и в своем балахоне была похожа на мужчину.

Выход на свободу подействовал на Петру очень сильно. Она без умолку болтала.

— Едем сразу домой? — перебила ее Кристи.

— Нет, нет, — взмолилась Петра. — Давай остановимся в гостинице, поужинаем, немного выпьем, выспимся, а утром поедем.

Они взяли один номер с двумя кроватями. Петра заказала в номер ужин с шампанским. Она рассказывала о тюремной жизни, но не называла никаких имен, боясь, что их подслушивают — предположение, которое Кристи показалось нелепым.

Ела Петра мало, зато много пила. Лицо у нее стало красным, глаза горели. Допив шампанское, она, несмотря на вялое сопротивление Кристи, по телефону заказала еще два мартини. За год в тюрьме Петра отвыкла от спиртного и быстро опьянела. Кристи, домашний ребенок, воспитанный в строгости, выпила меньше, но и ее повело.

До того дня, когда Петру арестовали, Кристи и не подозревала, что подруга детства занимается чем-то нелегальным.

Соседи считали Петру Вагнер послушной дочерью, но бесцветной, лишенной особых интересов и увлечений. Ее отец был юристом, членом городского совета от правящей Христианско-демократической партии.

Будучи студенткой, Петра трогательно заботилась о парализованных больных, считалась необыкновенно чувствительной. Она мечтала посвятить себя больным детям, подыскала работу в приюте для неполноценных детей.

— Когда же все это началось? — расспрашивала ее Кристи.

У Петры был школьный друг, начитанный марксист. Однажды он привел ее в молодежную коммуну, где жили одни хиппи. Тихой и домашней Петре понравилось в коммуне. Здесь все было иначе, чем дома, свободно и легко. Нравы свободные, спали кто с кем хотел, тут же без скандалов и ревности менялись партнерами. Курили марихуану, устраивали концерты, ходили на митинги.

Очень здорово было сознавать, что как женщина она по-настоящему эмансипирована, что она может какие-то вещи делать лучше, чем мужчины. Но уже через несколько месяцев ей стало скучно. Деятельная по натуре, Петра решила помогать членам боевой революционной организации «Революционные ячейки», которые отбывали срок в тюрьме.

Она примкнула к комитету «Красная помощь». Лозунг у этих ребят был заманчивый: разрушай все, что разрушает тебя.

Члены комитета переписывались с заключенными, и из этих писем, из-за тюремной цензуры выдержанных в отвлеченно-теоретическом ключе, она многое узнала. Письма критиковали ее за размытость позиции и требовали определенности: или полностью поддерживай «Революционные ячейки», или отойди в сторону.

Петра постепенно втянулась в эту работу: подготовка адвокатов для процессов над террористами, сбор пожертвований, обработка писем заключенных, которые они пересылали друг другу через адвокатов.

К письмам в тюрьму прикладывались наиболее интересные статьи из прессы, рецензии и списки новых книг. Заключенные всегда спрашивали, кто именно готовит им такие информационные пакеты. Между заключенными и новичками возникало прямое общение и начинался процесс обучения революционной теории.

Заключенные требовали дисциплины и обязательности, давали советы, настаивали на том, чтобы Петра и другие читали определенные книги и писали им отчеты.

С утра в комитете «Красной помощи» изучались свежие газеты и делались ксерокопии для заключенных, писались им письма. Около полудня приходили курьеры с вещами, которые следовало передать в тюрьму.

В течение часа они спешно паковали все посылки, и адвокаты отправлялись в тюрьму.

После обеда шли политические и организационные дискуссии. Когда возвращались адвокаты, они приносили последние указания заключенных. Письма были исчерканы красным карандашом, заключенные вели себя как школьные учителя.

Половина комитета тут же начинала выполнять указания, добывая все необходимое — от джинсов до радиоприемников. Другая — изучала теоретические советы заключенных.

Вечером в комитете устанавливалась атмосфера коммуны: они перетащили туда матрасы и проигрыватели, курили марихуану, спорили и любили друг друга.

Работа делала жизнь осмысленной, открывала перед ними определенное политическое будущее. Помимо всего прочего, возникало ощущение принадлежности к авангарду борьбы за справедливое дело. Петре нравилась дисциплина, необходимость подчиняться приказам — все то, что еще недавно она напрочь отвергала.

Она попала в компанию молодых женщин, которым завидовала, потому что они обрели уверенность в себе, они знали, как вести себя на людях, их уважали потому, что они участвовали в этой деятельности. Они стали ее идеалом, Петра пошла за ними...

Через много лет ей придет в голову одна мысль: если бы в юности она встретила других людей, которые произвели бы на нее столь же сильное впечатление, она пошла бы за ними.

Если бы она встретила мужчину, который полюбил бы ее и хотел семьи, детей, она отказалась бы от политической борьбы. В то время у нее не было собственного мнения.

Но она встретила людей, которые вовлекли ее в эту борьбу. Ей, попросту говоря, не хватало уверенности в себе...

По вечерам они часто говорили о том, что, только уйдя в подполье и ведя вооруженную борьбу, можно жить в этой стране. Великая цель избавляла от разочарований повседневной жизни.

Положение заключенных ее очень трогало: она представляла себе пытаемых, униженных людей в звуконепроницаемых одиночках, где тюремщики пытаются сломать их волю научно разработанными методами.

Заключенные устроили голодовку, и один из них оказался настолько упрямым, что умер.

В немецком уголовном праве записано, что решение о принудительном питании фактически зависит от медиков. Там указано, что к принудительному питанию не прибегают до тех пор, пока «можно исходить из того, что заключенный голодает по собственной воле. За исключением случаев, когда возникает острая опасность для его жизни».

Как показало вскрытие, уже за два дня до смерти у него наступили вызванные длительным голоданием неустранимые нарушения функции спинного мозга. Заключенный еще сохранял возможность свободного волеизъявления, но шансов выжить у него уже не было.

При росте в один метр восемьдесят три сантиметра на смертном одре он весил всего тридцать девять килограммов. Его смерть была поворотным событием, которое привело Петру к решению взяться за оружие. Она впервые увидела смерть так близко и чувствовала себя морально сопричастной, потому что не смогла предотвратить эту смерть.

Они все чувствовали себя виновными, потому что не могли спасти товарища.

Голодовка, закончившаяся трагически, показала ей всю беспомощность простого человека перед властью. Она поняла: бессмысленно противостоять этой системе в белых перчатках, больше нет места рефлексиям, она должна взяться за оружие.

В ее жизни наступил период, когда она еще не ушла в подполье сама, но уже начала практически помогать террористам. Это был билет в подполье.

Время, которое человек проводит в роли помощника, позволяет ему приготовиться к нелегальной жизни. Но это еще и проверка. Только тот, кто выдержал проверку и доказал способность быть городским партизаном, принимался в группу.

Лучшей проверкой считалось участие в вооруженном ограблении банка, потому что замаскированный полицейский агент никогда на это не пойдет. Но Петру приняли сразу, без испытания.

С группой ее свел молодой человек по имени Гюнтер. Он несколько раз упоминал, что связан с одной подпольной группой. Такая откровенность означала, что он в Петре уверен...

Это был момент, когда все решили, что больше никто из членов «Революционных ячеек» не умрет в заключении, что всех арестованных и осужденных надо освобождать из тюрьмы любыми средствами. Стали создавать подпольную структуру для проведения боевых операций. Гюнтер сообщил о Петре людям, которые находились в подполье. Они-то и должны были решить, брать ее или нет.

Они настороженно относились к тем, кто без приглашения, по собственной инициативе пытался вступить с ними в контакт. Но Гюнтер был проверенным человеком.

Старшее поколение террористов разработало строгую схему беседы с новичком. Люди в масках, которые разговаривали с Петрой Вагнер в полутемной комнате, знали, что первая встреча с сочувствующим является решающей. Им важно было в первом же разговоре оценить степень ее решимости идти до конца, волю к сопротивлению, ее способности и возможности.

Может ли она сделать то, что от нее захотят? Готова ли и в состоянии ли она физически перенести арест, суд и заключение, если ее когда-нибудь поймает полиция?

Ей сразу все объяснили: чего от нее хотят, какому риску она отныне будет подвергаться, какие меры предосторожности ей придется соблюдать.

Петре говорили, что от соблюдения правил безопасности зависят ее собственная жизнь и жизнь других членов группы, что она нуждается в самодисциплине. И одновременно ей внушали, что ее потребности, надежды, ожидания могут быть реализованы только при участии в подпольной работе.

Через месяц Гюнтер сообщил ей, что решение подпольщиков было положительным. Она встретилась с двумя террористами в одной пивной во Франкфуртена-Майне возле центрального вокзала. Все вместе они пошли в «опорный пункт» — меблированную мансарду. Здесь Дитер Рольник, который после ареста старших товарищей возглавил «Революционные ячейки», собрал остаток группы.

Петра была разочарована. Заключенные в письмах рассказывали о складах оружия, о разветвленной информационной структуре, подготовленных кадрах и боевых отрядах — так, словно все это существовало в реальности.

На самом деле сохранился только небольшой запас чешской взрывчатки, украденные на складе бундесвера старые ручные гранаты, самодельное руководство по изготовлению фальшивых документов и скромная сумма денег. Боевая группа состояла из пяти человек — остальных полиция выследила.

Пока что полиция ими не интересовалась, но они старались вести себя по всем правилам конспирации. По вечерам спорили до хрипоты, как создать новую структуру, но не могли ни о чем договориться. С горем пополам написали отчет о своих дискуссиях в тюрьму и получили оттуда уничтожающий ответ. От них требовали действий, прежде всего действий, а не пустых дискуссий.

Они пытались завербовать новых членов, снять конспиративные квартиры, придумать какие-то планы по освобождению заключенных. Составили список влиятельных людей, которых можно похитить, самолетов, которые можно угнать, и посольств, которые можно захватить.

Петре поручили изучить ситуацию с немецким посольством в Берне. Она поехала в Швейцарию и, просидев там неделю, пришла к выводу, что в Берне у них ничего не получится.

Для поездок ей давали деньги, чужие паспорта и водительские удостоверения. «Революционные ячейки» могли существовать только потому, что их поддерживали вполне благонамеренные люди, о симпатии которых к террористам полиция и не подозревала. Они снабжали террористов деньгами и часто отдавали свои документы, а сами получали новые, заявив в полиции, что старые потеряны.

От мансарды во Франкфурте они отказались, а квартира в Кельне, снятая для «одинокой женщины», была слишком мала для них всех: там ночевало по четыре человека.

— Двое из них и вытащили Рольника из тюрьмы, — закончила Петра свой рассказ. — А всю подготовительную работу сделала я, и напрасно я не послушалась совета немедленно исчезнуть.

— А куда же ты могла деться? — заплетающимся языком спросила Кристи.

Петра ухмыльнулась, но ничего не сказала.

Уже было поздно, и они стали ложиться спать. Утомленная дорогой, вином и рассказами, Кристи буквально провалилась в сон. И это был чудесный сон.

Она была в постели не одна, а с мужчиной. Она не могла разглядеть его лицо, но тело у него было необыкновенно красивое и мускулистое. Он был совершенно голый и ласкал Кристи. В ее жизни это происходило в первый раз.

Он откинул одеяло, медленно и аккуратно поднял ее ночную рубашку и стащил с нее трусики. При этом мягким голосом неизвестный шептал:

— Тихо, деточка, тихо. Тебе будет хорошо, очень хорошо. Ты не пожалеешь. Я обещаю.

Его руки нежно гладили ее ноги, аккуратно их раздвигая. Затем он взялся за ее грудь, и Кристи только жалела, что ее девичья грудь такая маленькая. Каждое его прикосновение заставляло ее трепетать. Наконец его голова оказалась у нее между ногами. В темноте она не видела ничего, но ощутила влажное прикосновение языка. Кристи почувствовала доселе неведомое ей блаженство. Она начала постанывать и проснулась.

На ней не было ни ночной рубашки, ни трусиков, и в постели она действительно была не одна. Кристи оцепенела от неожиданности.

Между ее ног устроилась коротко стриженная голова. Но это был не очаровательный незнакомец. Это была ее подружка Петра Вагнер, совершенно голая и пьяная. Она подняла голову и заплетающимся языком пробормотала:

— Я хочу тебя. У тебя такое тело, такая кожа...

Услышав ее голос, Кристи окончательно пришла в себя. Она взвизгнула и вскочила с кровати. Подхватила со спинки стула свои вещи и подбежала к двери. Щелкнул выключатель, загорелся свет, заставив ее сощуриться.

— Куда ты? — всполошилась Петра, чуть не свалившись с кровати.

— Не подходи ко мне! — завопила Кристи.

Она пыталась одеться, но руки у нее дрожали. Она никак не могла надеть блузку и застегнуть юбку.

Голая Петра подошла к ней. У нее была большая обвисшая грудь, толстые коротковатые ноги. Она прислонилась к косяку и захныкала:

— Не обижайся на меня, Кристи. Я напилась и ничего не соображала. Мне почудилось, что... Понимаешь, у меня же никого не было целый год.

Кристи лихорадочно одевалась. Ее трясло от негодования.

Петра вдруг без слов опустилась на колени. Она заплакала. Этого Кристи не ожидала.

Она без сил присела на деревянный стул возле двери. Некоторое время они молчали, стараясь не смотреть друг на друга. Петра по-прежнему стояла на коленях. Кристи, прижав к груди пиджак, пыталась привести в порядок свои мысли. Петра — лесбиянка?

— Прости меня, — монотонно повторяла Петра, — прости, если можешь. Если бы ты знала, что мне пришлось пережить.

Она опять заплакала.

— Ладно, — устала сказала Кристи. — Забудем и давай спать. Только по-настоящему.

Петра с трудом поднялась, колени у нее стали ярко-красные. Она кивнула и пошла к своей постели.

Засыпая, Кристи стыдливо подумала о том, что, пока она не проснулась, ей было очень хорошо. Как жаль, что она до сих пор девственница и не испытала все это с настоящим мужчиной.

Утром у Петры началась настоящая паранойя. По дороге домой, прямо в машине, она стала писать письма соратникам. При этом постоянно оглядывалась. В какой-то момент ей, видно, что-то показалось. Кристи не успела ахнуть, как Петра щелкнула зажигалкой, подожгла свои письма и бросила горящие бумаги прямо на пол машины.

Кристи нажала на тормоза так, что они обе чуть не вылетели из машины через лобовое стекло.

— Ты с ума сошла! — Кристи стала топтать ногами горящие бумаги.

Петра пыталась ее остановить:

— Ты что, не видишь? Нас преследуют! Надо немедленно уничтожить эти бумаги, а то меня опять упекут за решетку.

Машина Кристи чуть не загорелась, и тут мнимые преследователи остановились, чтобы спросить, не нужна ли им помощь и не прислать ли пожарных.

Кристи довезла Петру до дома и поспешила распрощаться с подругой детства. Она устала и хотела отдохнуть. К тому же у нее дома вставали очень рано, и ей не стоило опаздывать к завтраку. Родители не видели ее несколько месяцев, пока она сдавала экзамены.

Прежде чем Кристи успела отстраниться, Петра смачно поцеловала ее в губы и радостно сказала:

— Увидимся завтра.

Рюмочка вишневой водки — вот и все, что позволял себе фон Хассель по воскресеньям. Кристи сразу увидела, что в родительском доме ничего не изменилось.

Завтрак отца состоял из все той же одинокой булочки, слегка намазанной маргарином, двух тоненьких кусочков ветчины, большой чашки кофе с молоком. В доме не принято было тратить деньги на еду. Мать только попила кофе и съела кусочек хлеба с клубничным джемом собственного изготовления. Кристине полагалась детская диета — тарелка с кашей и йогурт без сахара.

— Что за мотовство? Нам это не по карману, — ворчал отец, когда мать приносила из супермаркета несколько помидоров, яблоки и овечий сыр.

Сладкое покупали только в праздники. Но Кристина из-за этого не страдала. Высокая, спортивная девушка, она каждый день плавала в бассейне, играла в школе в волейбол и не скучала без конфет и печенья.

Отец не был скупым, просто считал, что деньги можно использовать с большей пользой. Летом Кристина, помогая на ферме, что-то зарабатывала и сама покупала большой кекс с цукатами, апельсины и бананы. Когда она гордо приносила домой кульки, он посматривал на дочь неодобрительно.

В столовой, как всегда по воскресеньям, царила полная тишина, только сквозь открытое окно доносился звон колоколов. Лето было на излете, но еще стояла чудесная погода. Отец сидел в белой рубашке с накрахмаленным воротничком. Воротнички — это забота матери. Отцовские рубашки в прачечную не отдавали.

Допив кофе, отец развернул газету. Собственно говоря, он знал, что выглядит старомодным, что давно наступили иные времена и даже его сверстники сильно изменились. Но ему не хотелось меняться. После того как ему удалось получить работу на почте, все пошло на редкость хорошо. А от добра добра не ищут. Что касается дочери, то по крайней мере плохому ее дома не научат.

— Пойдешь купаться? — спросила мать, собирая посуду со стола.

На ней был старенький, но безупречно чистый передник. Двое старших сыновей давно покинули родительский дом. Один преподавал топографию в военной академии, другой служил в банке во Франкфурте-на-Майне. Мать с грустью следила за тем, как дочь становится взрослой. Умная, талантливая девушка, конечно же, в маленьком городке не останется, переедет в большой город, значит, родителям суждено стареть вдали от детей.

Кристина поступила в университет во Франкфурте. Сначала жила у брата, потом перебралась в общежитие. Приезжала только на каникулы. Но учеба закончена. Может быть, дочка вообще последний раз в отчем доме? Найдет себе работу, уже приезжать не сможет.

— Нет, мамочка, — сказала Кристина, — пойду собираться. Скоро на поезд.

Она попросила у отца разрешения встать из-за стола. Погруженный в газету, он неопределенно буркнул, что было сочтено согласием.

Кристина оглядела себя в зеркале и в целом осталась довольна. Стройная, высокая, с длинными волосами, правильными чертами лица. Только, пожалуй, слишком худая, и очки ее как-то сушат.

Собираться ей было недолго. Чемодан она сложила заранее, хотя вещей получилось много. Руководитель группы посоветовал взять с собой все необходимое — в Москве не найдешь самых простых вещей. Говорят, там не купишь ни зубной пасты, ни туалетной бумаги. Еще они накупили в дорогу растворимый кофе и печенье. Кристина вместе с группой выпускников института отправлялась в Москву на международный семинар. Тема: положение женщины в современном мире. Кристина учила русский язык и очень хотела попасть в Москву.

Закончив университет, Кристи разослала заявления с просьбой о приеме на работу в несколько мест и теперь ждала ответа. Она не сомневалась, что легко найдет себе подходящее дело. Профессора восторгались ее способностями, она знала несколько языков, в том числе русский и арабский, и у нее были даже организаторские способности.

Перед отъездом Кристи зашла попрощаться с Петрой. Но заплаканные родители сказали ей, что Петра, не успев толком с ними поговорить, исчезла. Неужели ее школьная подруга опять ушла в подполье? Тогда они больше никогда не встретятся, подумала Кристи.

ГЛАВА ВТОРАЯ

Кристи не ошиблась в своей подруге.

В последнее воскресенье июля с пышным букетом красных роз Петра Вагнер стояла перед виллой председателя городского суда Юргена Конто, студенческого друга ее отца.

Рядом с Петрой в новеньких костюмах с сумками в руках стояли два молодых человека. Они широко улыбались и старались выглядеть непринужденно. Одним из них был Гюнтер, старый знакомый Петры. Это он привел ее в подполье. Второго звали Фрицем, он приехал из Баварии. Фриц научился хорошим манерам, работая в бюро путешествий. Его уже использовали в двух операциях: он звонил по телефону семье похищенного и необыкновенно вежливо требовал выкуп.

У Фрица было одно любимое дело. Он заказывал в похоронном бюро гробы и просил доставить их домой представителям крупного бизнеса, которых считал врагами трудового народа.

Петру знали в доме судьи, и дверь перед ней и ее спутниками гостеприимно распахнулась, тем более что она заранее по телефону предупредила о своем приходе.

Даже после громкого процесса и года тюрьмы она оставалась для семейства судьи Конто прежней маленькой Петрой, которая когда-то играла с детьми самого Конто.

После ее ареста судья не только не отвернулся от своего старого друга, но и неофициально принял в судьбе Петры большое участие. Ее досрочное освобождение не обошлось без его советов.

Петре и пришло в голову похитить судью Конто. Ее предложение положило конец долгим спорам. Группа понимала, что пора что-то предпринять, но у них не было ни людей, ни денег, ни оружия, чтобы захватить кого-то из охраняемых лидеров страны. Время шло, группа ничего не делала, их уже стали попрекать бездельем. И тогда, чтобы всех поддержать, Петра предложила похитить судью Конто.

Дитер Рольник, а он стал лидером группы, с восторгом принял ее предложение. Они сидели на полу, застеленном потрепанными матрасами, в квартире, которую им снял один из сочувствующих, и курили. За недели вынужденного безделья все обленились и опустились, мужчины перестали бриться, женщины — причесываться. В группе было семеро мужчин и три женщины.

В подпольных группах женщин всегда меньше, чем мужчин. Дефицит женского внимания дурно влиял на подпольщиков, они становились злыми и агрессивными, дико завидовали тем, кому достались немногие женщины.

Дитер Рольник устроил в своей группе свободную любовь. В простых выражениях он объяснил трем женщинам, что им придется отвечать взаимностью каждому, кто этого захочет. Женщины согласились ради общего дела. Им, правда, приходилось спать меньше других, зато ночью в квартире, где обитала группа, царили покой и согласие.

Авторитет Рольника был непререкаем. Высокий, мускулистый и нервный, он казался им воплощением настоящего борца. Когда утром он шумно умывался в ванной, не прикрыв двери, все видели, что у него спина и руки покрыты татуировкой.

Вся группа состояла из недоучившихся студентов, которые выросли в приличных семьях. А Рольник, прежде чем присоединиться к террористам, совершил несколько уголовных преступлений. Первые акции террористов его просто восхитили. То, что они делали, было лучше того, чем он занимался. Дитер нашел людей из «Революционных ячеек» и предложил свои услуги.

Для начала ему поручили обеспечивать группу безопасным транспортом. Он нашел уголовников во Франции, которые за деньги изготовляли фальшивые номерные знаки и документы на автомобили. В Германии Рольник подыскивал машины тех же марок и моделей, угонял их, ставил на них французские номера и отдавал подпольщикам. Немецкая полиция не обращала внимания на автомашины с французскими номерами.

Рольника оценили после того, как в Целле он спустился на надувной лодке по реке и подложил взрывчатку в стену тюремного управления. Он взорвал заряд с помощью 400-метрового зажигательного шнура. Взрывчатка проделала в железобетонной стене дыру в полметра. Толку от этого было мало, но друзья поздравляли Рольника с успехом.

В Ольденберге он подложил в городское управление устройство, собранное из шести килограммов сухой начинки для огнетушителей «Глория», детского будильника и батареек.

Эти взрывные устройства собирал студент-философ по имени Йозеф. Однажды он допустил небольшую ошибку, оказавшуюся для него роковой. Его руки дрогнули в тот момент, когда он подсоединял зажигательное устройство к взрывчатке. Взрывом ему оторвало обе ноги. Осколки отняли у него зрение.

На первом же допросе, который проходил в палате интенсивной терапии хирургической клиники, Йозеф согласился дать показания. Он рассказал, как делал самодельные взрывные устройства из будильника «Изовокс» и батарейки «Варта». Каким образом будильник, батарейка и доступные всем химические взрывчатые вещества, взятые вместе, дают нужный эффект, было описано в подробных инструкциях, которые ему вручил некий Дитер Рольник.

Найти Дитера Рольника полиции не удалось. Он исчез из города, изменил внешность и разжился новыми документами.

Пока врачи боролись за жизнь искалеченного собственной бомбой студента-философа, сотрудники ведомства по охране конституции с помощью металлодетекторов прочесывали городские лесопарки Гейдельберга, ориентируясь по планам Йозефа. Они искали склад, заложенный Рольником. Им повезло в районе башни Бисмарка. Из глубокого тайника специалисты ведомства по охране конституции килограммами доставали ручные гранаты, запалы к ним, взрывчатку, несколько тысяч патронов для пистолетов и автоматов.

Дитер Рольник при всех расцеловал Петру. В постели она ему не нравилась — казалась слишком пресной, к тому же он предпочитал более стройных девушек, но спал со всеми тремя по очереди, чтобы поддерживать хорошие отношения в группе. Предложение похитить судью пришлось ему по вкусу.

Он раздобыл два армейских автомата со сбитыми заводскими номерами и пригнал из другого города новую машину с бельгийскими номерами. Он отобрал двоих из своей группы, дал им денег, велел постричься и купить приличные костюмы.

— У Юргена Конто в воскресенье день рождения, — вспомнила Петра. — Я могу зайти его поздравить. Раньше я так всегда делала.

Утром в воскресенье Дитер отвез ее на мотоцикле в кафе на другом конце города. Он заказал ей кофе, кусок торта и сбитые сливки, которые она очень любила. Когда официантка в кружевном передничке приняла заказ, Дитер небрежно спросил, где телефон.

Петру провели в закуток с телефоном-автоматом.

— Дядя Юрген? — преувеличенно радостным голосом произнесла она в трубку, когда ее соединили с судьей. — Это Петра Вагнер. Примите поздравления с вашим днем рождения. Я хотела бы заглянуть к вам на минутку.

Повесив трубку, Петра несколько секунд продолжала стоять у телефона. Она тупо смотрела на табличку с номером, по которому можно было бесплатно соединиться с полицией. Дитер Рольник заглянул к ней и твердо взял за руку.

Он заказал рюмку шнапса и заставил ее выпить залпом.

В четыре часа дня, сжимая в правой руке букет роз, купленный предусмотрительным Рольником, Петра Вагнер стояла у ворот дома судьи Конто. Она нажала кнопку переговорного устройства и назвалась. Судья с помощью дистанционного управления открыл калитку и сам вышел встретить дочку своего старинного друга.

От дома к калитке вела выложенная красным кирпичом дорожка, с обеих сторон обсаженная цветами. Высокий и статный судья прихрамывал и шел медленно, опираясь на палку с фигурной ручкой.

Когда-то у судьи была пышная шевелюра, к старости он изрядно облысел, но по-прежнему выглядел в высшей степени импозантно. Очков судья не носил и еще издалека, увидев Петру, приветственно помахал ей рукой.

Он думал о том, что дети часто огорчают родителей, и искренне сочувствовал своему студенческому другу Вагнеру. Петра была таким очаровательным ребенком. Почему она позволила дурной компании увлечь себя?

Петра, закрывая калитку, тоже неуверенно помахала судье букетом роз.

Петра Вагнер не была уж столь кровожадна, просто она не могла уклониться от исполнения этого задания. Все пережитки буржуазной морали должны быть забыты, говорила она себе, любые колебания товарищи сочтут предательством общего дела.

Когда она ушла в подполье, весь мир, которым она дорожила, сжался до размеров ее группы; если группа одобрила какую-то акцию, значит, она справедлива и моральна.

Члены группы жили в совсем уж крохотном мирке. Вычеркнув из своей жизни родных и друзей, отрезанные от остального мира, они могли полагаться только на самих себя.

Не только Петра, они все полностью зависели от группы, они должны были полностью приспособиться к нелегальному образу жизни, отказаться от собственных нужд, интересов и желаний.

Каждый вечер перед ужином Дитер Рольник устраивал политзанятия в группе. Участие было обязательным для всех. Он учил их видеть врага, который должен быть сокрушен.

Врагами они считали полицейских, судей, предпринимателей, власть как таковую. Они жили в абсолютно враждебном им мире.

— Человек в форме — свинья, — внушал им Рольник. — Он не человеческое существо, и мы должны относиться к нему, исходя из этого. Бессмысленно пытаться разговаривать с этими людьми, и естественно, что применение оружия позволительно.

Если назвать врага просто свиньей и отказать ему в праве считаться человеческим существом, то заповедь «не убий» как бы и не применима к такому случаю. Пересмотр привычных норм и ценностей происходил легко — буржуазные ценности отвергались, зато принималась новая мораль группы.

Таких слов, как «террор» и «террористы», они тщательно избегали. Себя они называли «городскими партизанами».

К тому же члены группы боялись показаться трусами или недостаточно надежными. Они должны были доказать друг другу свои боевые качества.

Когда судья Конто подошел к Петре Вагнер и протянул ей руку, оба молодых террориста неожиданно выхватили из сумок автоматы. Они были горды своим первым боевым заданием. За плечами у них было только нападение на полицейского, чтобы завладеть его пистолетом, и ограбление небольшой сберегательной кассы. Они признавали Петру Вагнер за старшую, потому что она участвовала в настоящем налете на тюрьму.

Дитер Рольник поручил им взять судью Конто в заложники, чтобы обменять его на товарищей по борьбе, которые сидели в тюрьме. Это было справедливым делом и до смешного легким. Они не сомневались, что, увидев оружие, старый судья струсит: эти свиньи способны быть храбрыми только у себя за судейским столом, под охраной полиции.

Но судья Конто не испугался. Он не закричал и не побежал, а попытался вырвать автомат у Фрица, стоявшего ближе. От неожиданности Фриц забыл, как ему следовало действовать, и только изо всех сил ухватился за приклад.

Третий из террористов — Гюнтер — решил, что судья уже завладел оружием, и нажал на спусковой крючок своего автомата, содрогнувшегося у него в руках. Гюнтеру даже не надо было целиться. Очередь в упор распорола судью Конто, и он рухнул на дорожку.

На Петру словно столбняк нашел. Она смотрела на окровавленного судью и молчала. На звук выстрелов из дома выскочили какие-то люди и побежали в их сторону.

Первым очнулся Фриц. Он схватил Петру за руку и потащил за собой. Подхватив оба автомата, за ними бежал Гюнтер. Машина ждала их в условленном месте. За рулем сидел Рольник. Увидев, что судьи с ними нет, а Петра в невменяемом состоянии, он просто рванул машину с места.

Богатое уголовное прошлое научило его правильной реакции. Он ничего не спрашивал до тех пор, пока они не оказались в безопасном месте — это была квартира, которой они еще ни разу не пользовались. Рольник снял ее через верного человека, чтобы держать здесь судью Конто.

Рольник заранее доставил сюда несколько постелей и забил холодильник едой. Первым делом он вытащил бутылку шнапса и протянул Фрицу и Гюнтеру. Петру он заставил проглотить несколько таблеток снотворного и повел в комнату. Ее била лихорадка. Она говорила что-то невнятное.

Дитер умело раздел ее и уложил в кровать. Скинул с себя рубашку, джинсы и лег рядом. Он вошел в нее сразу, без подготовки. Ей было больно, она закричала и попыталась оттолкнуть его. Но Дитер только крепче к ней прижимался. Ей казалось, что внутри нее работает какая-то мощная машина.

Петра продолжала сопротивляться и отталкивать Дитера, но вскоре ей стало очень хорошо. Ей никогда не было по-настоящему хорошо с мужчинами. Сейчас она нуждалась в близости сильного и надежного мужчины. А он все вонзался и вонзался в нее. Она обхватила его худые бедра своими ногами, и наконец ее сотрясла мощная судорога.

Петра хотела сказать что-то членораздельное, но снотворное уже подействовало, ее руки и ноги ослабели, и она провалилась в сон. Только тогда Дитер остановился. Он даже не позаботился о себе — просто выполнял свой долг как руководитель группы. Он оделся и вышел в другую комнату, где Фриц и Гюнтер неумело глотали неразбавленное виски.

Дитер Рольник умылся и тяжело опустился на расшатанный стул.

— Рассказывайте, придурки, что вы там натворили, — приказал он.

Через несколько часов по радио передали сообщение о покушении на судью Юргена Конто. Он был смертельно ранен в шею и спину и через несколько часов скончался в больнице. У полиции не было никаких версий. Судье никто не угрожал, и с тех пор, как он вышел в отставку, ни у кого не было никаких оснований желать его смерти.

К концу дня сообщение о покушении на судью Конто дополнилось информацией о розыске Петры Вагнер, судимой, 24 лет, подозреваемой в соучастии в убийстве.

Подумав, Рольник не так уж сильно огорчился. Он добился своего — его группа прославилась. Он просто не станет никому говорить, что собирался похитить судью. Он скажет, что с самого начала решил казнить Юргена Конто.

Убийство судьи поставит Рольника в один ряд с самыми знаменитыми боевиками «Революционных ячеек».

Так и получилось. Старшие товарищи, сидевшие в тюрьме, написали специальную листовку. Они поддержали Дитера Рольника.

«Мы мертвого судью оплакивать не станем, — говорилось в листовке. — Мы радуемся его казни. Эта акция была необходима, потому что она показала каждой судейской и чиновной свинье, что и он — и уже сегодня — может быть привлечен к ответственности. Эта акция была необходима потому, что она положила конец разговорам о всемогуществе государственного аппарата».

Единственное, чего Рольник не знал, — это что делать с Петрой. Она никак не могла прийти в себя. Он разговаривал с ней целыми днями.

— Если кто-то из заложников сопротивляется или не желает немедленно выполнять приказ, он должен быть убит, — внушал ей Рольник. — И это не имеет ничего общего с убийством, это военная необходимость, возникающая в политической борьбе.

— Мы ведем войну с фашистской и империалистической ФРГ, — говорил Рольник, — мы должны считать себя солдатами. Убийство политического врага — не только необходимость, но и долг.

— Это был ваш моральный долг — убить судью, — повторял Рольник. — Именно так ты должна оценивать происшедшее.

Но он напрасно старался. Петра его слушала, но не слышала. Она не то чтобы не принимала его аргументов или спорила с ним. Нет, она не возражала, она покорно слушала. Но она замкнулась в себе.

Дитер пробовал разбудить ее в постели, но она больше не откликалась на движения его тела. Она лежала недвижимо, как бревно, и у Рольника появлялось ощущение, что он имеет дело с трупом. Он гордился тем, что способен любую женщину заставить кричать от восторга. Неудачный опыт с Петрой его испугал, и он больше не предпринимал таких попыток.

Остальные ребята давно обходили стороной ее постель. Они сначала сочувствовали Петре, потом стали тяготиться ее присутствием.

Особого порядка в конспиративной квартире никогда не было, но Петра окончательно распустилась. Она не переодевалась и мылась только тогда, когда ее силком отправляли в ванную комнату.

Дитер Рольник забеспокоился: поведение Петры действовало на группу разрушительно. Надо было как-то избавиться от нее. Лучше всего отправить Петру в Ливан, в один из учебных лагерей для перевоспитания.

Какое это счастье — соблазнить мужчину!

Повалить его на кровать, оседлать, подчинить своему телу и ритму, слышать, как учащается его дыхание, как он начинает постанывать, как вопль удовольствия вырывается из его горла.

Какое это счастье — заставить мужчину испытать настоящее наслаждение в постели!

Кристина вовсе не хотела быть робкой и покорной ученицей в этом классе. Едва познакомившись с самим предметом, она поспешила освоить высшие ступени. Ей нравилось не просто получать, а брать. Она хотела соблазнять мужчину, заставлять его чувствовать желание и удовлетворять его. В постельной игре она сделала заявку на равное партнерство.

Кристи оставалась девственницей до двадцати двух лет. Сверстницы уже давно посмеивались над ней. Они начали свою жизнь смело и бесшабашно. Кристи же никак не могла решиться.

Она легла в постель с мужчиной, который по-настоящему увлек ее. И не ошиблась.

Кристи совершенно не ожидала от себя такой прыти. Она вела себя в постели как взрослая, умудренная опытом женщина, а вовсе не как робкая девушка, потерявшая невинность три дня назад.

Но Кристи понимала, чья это заслуга. Она с нежностью и гордостью смотрела на Конни, похрапывавшего рядом с ней. Это он пробудил в ней настоящую женщину. Он подарил ей освобождение от девичьих страхов и страданий. Он сделал ее счастливым человеком. Он самый потрясающий любовник в мире. И она всегда будет любить его.

Только на обратном пути, в поезде, Кристи перевела дух и попыталась понять, что же с ней произошло. Все случилось так стремительно. Она поехала на неделю в Москву, чтобы участвовать в международном научном семинаре, а вместо этого попала в милицию и...

Москва встретила Кристи хорошей погодой и любопытными взглядами москвичей, которые с первого взгляда безошибочно распознавали в ней иностранку.

Кристи оделась как можно проще, но московские девушки с завистливым сожалением смотрели на ее джинсы, водолазку и кожаную курточку.

Семинары шли с утра и до обеда. Вечером участниц семинара везли в театр. А до вечера Кристи была предоставлена сама себе. Она могла спать сколько угодно, гулять и вообще делать все, что ей заблагорассудится. Рассказы о том, что в Советском Союзе за всеми иностранцами следят, явно относились к числу мифов.

Кристи походила по магазинам и с удивлением познакомилась со скудным выбором товаров. В продуктовых лавочках не было почти ничего из того, к чему она привыкла. Но ели в Москве значительно больше, чем у нее дома. Русские совсем не знали, что такое диета, и не заботились о своей фигуре.

Кормили Кристи необыкновенно вкусно. Когда в воскресенье переводчица западногерманской делегации пригласила Кристи в гости, то усадили ее за стол, какого она и не видела. Можно было подумать, что хозяйка наготовила на неделю вперед. И при этом никто за столом не говорил о том, как теперь все дорого стоит и что приходится во всем экономить.

Кристи понравились москвичи. Они были сердечнее и приятнее, чем обитатели ее родного городка.

Ее только удивляло, что люди в Москве никогда ничего не критиковали в собственной жизни и мало о чем ее расспрашивали. Когда она рассказывала о Федеративной Республике, ее слушали словно бы с сомнением.

В воскресенье она встала очень рано и целый день ходила по городу. Погуляла по центру, дошла до Кремля, хотела зайти в Мавзолей, но была большая очередь.

Москва не может похвастаться буйством весенних красок и умиротворяющей палитрой осени. Зато Кристи признала, что Москва прекрасна летом. Московское лето почему-то вызвало у нее ассоциацию с длинноногой блондинкой с белоснежной кожей и большими голубыми глазами.

Ей понравился этот долгий теплый вечер. Городские огни вспыхнули на фоне еще почти светлого неба. Зелень деревьев отражалась в прудах. Правда, Кристи рассказывали, что особенно хороша Москва зимой, под серым облачным небом. В Москве бывает настоящая зима с крепким морозом и хрустящим снегом, а не привычная немцам атлантическая слякоть. Но и летом было неплохо.

Кристи отметила, что московские дома сильно отличаются, например, от парижских, где царит захватывающая дух элегантность. Для москвичей главное комфорт и уют. Они строят себе большие, высокие дома, уставленные старой и надежной мебелью. И лишь представители интеллигенции, отдавая дань времени, вешают на стену холодную абстракционистскую картину.

Переводчица, просившая называть ее просто Маша, разобрала подарки, которые принесла Кристи, и осталась очень довольна. Она долго расспрашивала Кристи о родителях, о будущей работе. Ее муж Валера, тощий как спичка, с морщинистым лицом, сказал, что работает инженером в городском автобусном парке.

За столом Кристи оказалась рядом с пожилым журналистом в клетчатом пиджаке и модном галстуке. Он опрокидывал рюмку за рюмкой и чувствовал себя превосходно. При этом следил за тем, чтобы и бокал его соседки не пустовал. Кристи попробовала домашнюю вишневую наливку, и ей очень понравился терпкий напиток. Журналист был мастер произносить кавказские тосты, после которых невозможно было отказаться выпить.

Другим соседом Кристи был молодой человек лет тридцати с небольшим. На нем был хорошо отглаженный костюм устаревшего фасона. Он явно любил поесть, о чем неопровержимо свидетельствовал откровенно выпиравший из пиджака животик.

Молодой человек, скромно улыбаясь, взял на себя задачу накормить Кристи. Он перепробовал все, что было на столе, и самым вкусным угощал Кристи. Хозяйка особенно гордилась запеченной в духовке ногой сайгака с жареным картофелем, и Кристи призналась, что в жизни не ела столь нежного мяса.

Когда дошло дело до десерта, Кристи была уверена, что уже ничего не сможет съесть. Но тут Маша принесла с кухни большой домашний торт и стала всех угощать. Торт Кристи тоже не могла не попробовать. Молодой человек съел кусок, с комическим ужасом посмотрел на свой округлившийся животик и потянулся за вторым. Торт был необыкновенным.

Журналист в клетчатом пиджаке перешел на коньяк и еще доброжелательнее смотрел на юных соседей.

— Вы женаты, юноша? — спросил он молодого человека, который угощал Кристи тортом.

Тот покачал коротко стриженной головой.

— А вы? — обратился он к Кристи.

— Увы.

— А я был, — сказал журналист. — Четыре раза. Первая и третья были женщинами.

— А вторая и четвертая? — поинтересовалась Кристи.

— Скорее, мужчинами.

— Зачем же вы на них женились? — рассмеялась Кристи.

Молодой человек подмигнул ей. Он помалкивал и следил за их диалогом.

— Не сразу сумел отличить, — ответил журналист. — Они были слишком красивые.

В его голосе чувствовалось раскаяние.

— От первой и третьей я ушел. А вторая и четвертая бросили меня. С четвертой мы еще даже и не развелись.

— А почему вы на ней женились? — спросила Кристи.

— Это получилось само собой. Она работала секретарем в редакции — без образования, но прекрасно печатала на машинке. Лучшей машинистки я не встречал. Однажды в пятницу вечером мы остались в редакции одни.

Тут он вдруг застеснялся.

— Знаете, как это бывает. Мы получили премию Союза журналистов, у нас была вечеринка, мы с ней выпили. Нас вдруг потянуло друг к другу. Ну и вы понимаете, как это происходит. В редакции никого не осталось, свет потушили, у шефа в приемной есть диван...

Кристи смущенно улыбнулась. Молодой человек прыснул в кулак.

— Словом, утром я решил жениться. Она приняла мое предложение.

Журналист вытащил пачку болгарских сигарет без фильтра, задумчиво посмотрел на Кристи и спрятал сигареты.

— У нее не было жилья, она переехала ко мне. Мы заботились друг о друге. Она очень интересовалась моей работой, расспрашивала, чем я занимаюсь, как пишутся статьи и рецензии. Однажды она сама захотела написать рецензию. Я купил ей книгу рассказов одного молодого писателя, велел прочитать и написать, что она по этому поводу думает.

Она принесла мне пять машинописных страничек. Отпечатаны они были великолепно. Но никуда не годились. Не то что опубликовать, их даже нельзя было никому показывать. Я видел много никуда не годных рукописей с чудовищными ошибками, но автор должен хотя бы понимать, что именно он желает сказать.

Он покачал головой и как бы в рассеянности налил себе еще коньяка.

— Что же вы сделали? — спросила Кристи.

Журналист пожал плечами.

— Написал рецензию вместо нее. Что мне еще оставалось? Рецензию напечатали. И она всем понравилась. Позвонил сам автор книги, чтобы поблагодарить, и сказал, что хотел бы встретиться с таким тонким ценителем литературы.

По мере того как пустела коньячная бутылка, украшенная медалями, его голос становился все более саркастическим.

— Главный редактор перевел ее в отдел культуры. Мы поженились, и я каждую неделю должен был писать за нее рецензию.

Молодой человек поглощал домашнее печенье и посмеивался над рассказом. Иногда он бросал взгляд на Кристи, и она чувствовала, что нравится ему.

— Как вы думаете, чем все это закончилось? — Журналист обращался в основном к Кристи. — Ее взяли в большую газету. Как только ее приняли на работу, она собрала свои вещи и переехала к подруге.

— А как же вы? — спросила Кристи.

— А я остался.

— Но она же без вас пропадет, — сказала Кристи. — Кто-то же должен писать за нее рецензии.

— Желающие всегда найдутся, — меланхолично заметил журналист. — При ее фигуре и улыбке.

Большим глотком он опустошил рюмку и убрал под стол пустую бутылку. Через минуту он встал и пошел прощаться с хозяевами.

— Что вы об этом думаете? — спросила Кристи, повернувшись к молодому человеку.

— Не хотел бы я быть на его месте, — ответил он.

Уходили они вместе, и он предложил Кристи проводить ее.

Они расстались у ее гостиницы.

— Меня зовут Кристина, — сказала она. — Для друзей Кристи.

— Меня зовут Конрад, — эхом отозвался он. — Для друзей Конни, — добавил он по-немецки.

— Вы говорите по-немецки? — обрадовалась Кристи.

— Я немец, — просто сказал Конни. — Из русских немцев, которые переехали в Россию еще при Екатерине.

На следующий день они встретились на улице Горького и пошли в кафе-мороженое «Космос».

— Самое модное кафе в Москве, — гордо произнес Конни.

Он заказал две порции шоколадного мороженого в металлических вазочках и два бокала шампанского. Он налил немного шампанского в мороженое, которое запузырилось, и стал есть. Еще через день они вместе поехали в парк культуры и отдыха имени Горького. У Конни был отпуск. Он рассказал, что работает в радиомастерской и увлекается приемниками.

Он нравился Кристи. Он был простым, спокойным и молчаливым парнем. Говорила она одна. Он слушал ее очень внимательно и уважительно. Так еще ее никто не слушал.

Они провели в парке культуры целый день, крутились на чертовом колесе, катались на лодке, ели шашлыки, и когда Кристи подумала, что им пора прощаться, Конни, краснея и смущаясь, сказал, что они могут зайти к его приятелю и выпить у него чаю. Приятель уехал отдыхать на Черное море, оставил ему ключ, и они вполне могут у него отдохнуть.

Поехали на Юго-Запад. Станция метро называлась «Университет».

— Здесь рядом новое здание Московского университета, — пояснил Конни.

Он привел ее в новенький дом рядом с кинотеатром «Прогресс». Первый этаж занимал обувной магазин. Несколько пар мужских туфель, выставленных на витрине, показались Кристи музейными экспонатами. Такой обуви в Германии не носили.

— Дом улучшенной планировки, — торжественно объявил Конни, вызвав лифт.

Это была непонятная для Кристи формула. В Западной Германии дома просто делили на хорошие и плохие. Они поднялись на третий этаж. Квартира оказалась трехкомнатной, с небольшим балконом, чистенькой и даже как бы нежилой.

— Приятель не женат, — сказал Конни. — Днюет и ночует на работе.

Он снял куртку и остался в хорошо выглаженной клетчатой рубашке, летних брюках и сандалиях. В холодильнике оказался большой запас свежей провизии и даже несколько бутылок жигулевского пива. Одну бутылку он сразу откупорил. Кристи выпила полстакана. Пиво было холодное и вкусное. Она поняла, что Конни загодя приготовился к этому визиту, и мысль была ей приятна.

Кристи отправилась в ванную.

Пока она умывалась, Конни приготовил ужин, выставил несколько бутылок жигулевского пива — для себя, сок и сухое грузинское вино — для нее. В квартире нашлись даже свечи. Кристи была тронута. У них получился настоящий романтический ужин с вином и свечами.

Конни подливал ей вина, подкладывал горячие картофелины, свежие овощи, кусочки тушеного мяса.

Кристи ела мало, но незаметно для себя выпила полбутылки вина. Голова приятно кружилась. Ей было необыкновенно весело и хорошо. Она смеялась, круглое лицо Конни казалось ей необыкновенно милым, и вообще она только сейчас поняла, какой он замечательный.

Уже стемнело, когда Конни принес с кухни вскипевший чайник, дешевые чашки с золотым ободком и шоколадный торт под названием «Прага». Кристи вышла на секунду в ванную комнату, а когда вернулась, Конни поджидал ее у двери. Он привлек Кристи к себе и поцеловал в губы. Ее губы ответили с готовностью.

Они целовались, наверное, целый час. Потом Конни потянул Кристи за собой к постели. Он медленно, очень медленно снял с нее рубашку, джинсы, лифчик и трусики, опрокинул на кровать, опустился рядом на колени и начал целовать ее тело. При этом он продолжал говорить, какая она красивая, какая у нее пышная грудь, какая шелковистая кожа.

Он раздвинул ей ноги и погрузил лицо во влажную и трепещущую плоть.

Теперь уже он замолчал, но движения его языка были необыкновенно красноречивы. Они сказали Кристи столько нового, что она была потрясена. Об этой роскоши самые смелые ее подружки никогда не распространялись. Может быть, они просто ничего подобного и не испытывали?

Когда он оторвался от нее, она присела и, обхватив руками его голову, поцеловала Конни. И тут же почувствовала на губах незнакомый вкус — ее собственный вкус.

Он снова положил ее на кровать и лег сверху.

Она так жаждала его, что он мгновенно проник в нее. Боли Кристи почти не почувствовала. Первое неприятное чувство сменилось сладостным ощущением полного заполнения. И эта сладость казалась бесконечной. Потом, посмотрев на часы, она поймет, что они провели в постели больше полутора часов.

Он был мягок и нежен до самой последней минуты, когда она, совершенно обессилив, распласталась на кровати.

Конни аккуратно откатил Кристи в сторону и вытащил из-под нее простыню с большим пятном. В темноте пятно казалось черным. Она стыдливо отвернулась.

— Меня будут искать, — озабоченно сказала Кристи. — Нас предупредили, что мы обязательно должны ночевать в гостинице, иначе советские власти устроят скандал.

— Чепуха, — успокоил ее Конни. — Никто тебе ничего не скажет.

Она спала совершенно голой, избавившись от необходимости надевать на ночь пижаму — на чем всегда настаивала ее мама. Она прижималась к нему во сне и улыбалась.

Когда они в первый раз проснулись вместе, Кристи ощутила себя другим человеком. Она не просто стала женщиной, она повзрослела.

Утром позвонила переводчице Маше и сказала, что сегодня не пойдет на экскурсию, а сама погуляет по городу. Маша нисколько не возражала. Любезность советских людей не знала предела.

Они провели вместе целый день. До обеда гуляли. После обеда сидели на скамейке на набережной Москвы-реки и пили пиво из одной бутылки.

— Ты уже нашла себе работу? — поинтересовался Конни. — У вас это трудно?

— Я уверена, у меня все будет хорошо, — беззаботно ответила Кристи. — Я отправила заявления сразу в несколько государственных ведомств и в научные институты. Кто-нибудь откликнется.

— А где бы хотела работать? Тебе-то самой что нравится? — спросил Конни.

Кристи приятен был его интерес. Она поцеловала его в щеку.

— Я еще сама не решила. Мне нравится научная работа, и, наверное, мое место в исследовательском институте. Но для начала мне не повредило бы провести несколько лет на государственной службе — в Министерстве иностранных дел или в ведомстве по охране конституции.

Конни с удивлением посмотрел на нее.

— Ты подала заявление в ведомство по охране конституции? Но ведь это же контрразведка!

Кристи рассмеялась.

— У нас дело обстоит иначе, чем в других странах.

У нас это беззубая служба. Она не имеет права арестовывать и даже не может устраивать обыски.

Конни не стал продолжать разговор на эту тему. Он достал из сумки еще одну бутылку пива.

— Надо ее выпить, а то нагреется, — сказал он. — Ты как?

— Я — за, — поддержала его Кристи.

Вечером они вернулись в квартиру. Конни вспомнил, что забыл пополнить запасы провизии, и побежал за покупками. Кристи разделась и без стеснения ходила по квартире, закутавшись в простыню. Едва он вернулся и поставил сумки на кухне, как она сбросила простыню и, переступив через нее, прижалась к нему всем телом.

Конни пришел с улицы мокрый от пота, уставший — сумки были тяжелые, но как только почувствовал страстное прикосновение, уже был готов. Он стащил с себя брюки и рубашку, не отрываясь от девушки. Они вместе дошли до кровати и рухнули на нее. На этот раз Кристи не только принимала его ласки, но и возвращала их. У Конни было чему поучиться, и Кристи старательно постигала новую и сладкую науку.

Позже он сидел в кресле, листал «Крокодил» и курил. Она принесла себе чаю, а ему большой стакан холодного яблочного сока. В холодильнике был большой запас виноградного, яблочного и томатного соков. Он пил их регулярно, чтобы перебить вкус табака, ведь Кристи не курила и не любила табачного дыма.

Спать они улеглись далеко за полночь. Конни сразу же засопел. Кристи долго не могла заснуть. Она была счастлива, хотя за весь день Конни едва ли сказал ей десяток слов. Но рядом с ним она чувствовала себя надежно и уверенно.

Такой человек мог бы стать ее мужем, подумала Кристи. Он сказал тогда в гостях у Маши, что не женат. Значит, ничто не может им помешать. Правда, они граждане разных государств. Но если они поженятся, Конни может уехать вместе с ней на Запад. Для хорошего радиомеханика работа найдется.

Она заснула в самом радужном настроении.

Но пробуждение было кошмарным. Рано утром в дверь забарабанили.

— Кто это может быть? — шепотом спросила Кристи.

Конни не ответил. Его лицо стало бледным и испуганным. Стук не прекращался. Он натянул брюки и пошел открывать. Только Конни повернул ключ в замке, в квартиру ворвалось пять человек в милицейской форме. Они мгновенно распространились по всем комнатам. Один из них грубо спросил у Кристи:

— Документы есть?

Она кивнула и потянулась за сумочкой. Милиционер вырвал сумочку у нее из рук и вывернул содержимое на стол. Он увидел западногерманский паспорт и с удивлением посмотрел на Кристи. Взял паспорт осторожно и брезгливо, как гремучую змею, и методично перелистал все до единой страницы. Потом повернулся к Кристи:

— Как вы здесь оказались?

— Я пришла вместе с...

Она замолчала, не зная, как назвать Конни. Смеет ли она считать его своим женихом?

Другой милиционер, по виду старший, уже обшарил карманы Конни, вытащил его служебное удостоверение и присвистнул.

— Это ваша квартира? — спросил он Конни.

— Товарища. Он оставил мне ключ.

— Где товарищ?

— Он в отпуске в Сочи. Но я знаю, как...

— Все ясно, — сказал старший милиционер. — Собирайтесь оба, поедем в отделение, там разберемся.

Кристи решительно спустила ноги с кровати:

— Отвернитесь, пока я буду одеваться.

Они нехотя отвернулись, хотя у Кристи не было уверенности, что они не подсматривают. Она повернулась к ним спиной и одевалась нарочито медленно, стараясь собраться с духом. Она чувствовала себя уверенно. Никто не сумеет ее напугать.

В маленький лифт они втиснулись все вместе. Кристи оказалась зажатой между двумя милиционерами, которые неприязненно смотрели на нее. На улице под изумленными взглядами спешивших на работу прохожих их быстренько погрузили в желтую машину с зарешеченными окнами.

Конни недостаточно нагнулся и стукнулся головой. На него жалко было смотреть. Он был бледный, как смерть. Кристи попыталась его подбодрить:

— Все в порядке, дорогой. Не беспокойся...

— Молчать! — закричал один из милиционеров. — Не разговаривать!

Ехали совсем недолго. Отделение милиции находилось где-то рядом со станцией метро.

В отделении их разлучили. Конни увели. Кристи увидела его несчастное лицо, когда он обернулся. Милиционер толкнул его в спину, и Конни исчез за поворотом.

Кристи посадили в тесном коридоре и оставили под присмотром троих милиционеров, которые сняли фуражки и расположились отдыхать. Они не обращали на Кристи никакого внимания. Все трое, как на подбор, немолодые, пузатые, основательные. В отделении милиции было прохладно, и им никуда не хотелось идти.

Примерно через полчаса Кристи вызвали на допрос. Лысоватый скучный офицер в мятом мундире с двумя звездочками на погонах задал ей простые вопросы — имя, год рождения, цель приезда в СССР — и сел за древнюю пишущую машинку заполнять стандартный бланк. Когда она подписала бланк, ее опять вывели в коридор, где ей предстояло просидеть до самого вечера. Ей разрешили сходить в туалет и за ее деньги купили стакан чая и венгерскую ватрушку, в которой было много теста и немного творога. Но на допрос Кристи больше не вызывали.

Трое пузатых милиционеров провели с ней весь день. Они по очереди отлучались поесть и возвращались в наилучшем настроении. Потом они еще сходили в кассу за зарплатой. Этот поход несколько их разочаровал и настроил на лирический лад. Они вспоминали, кто как начал службу в милиции. Кристи вела себя тихо и слушала. Интересные это были рассказы, хотя она понимала не все слова.

— Меня в первое дежурство вызвали в квартиру, где произошла семейная ссора, — рассказывал один из них, высокий блондин, который постоянно что-то жевал. — А я тому времени проработал всего пять дней, думал, чепуховое дело. Когда мы вошли в квартиру, там все рыдали. Кого ни спросишь, никто не может толком объяснить, что же произошло. Только плачут. Прошли на кухню, а там труп. Мужик еще теплый. Нож из спины торчит. Обыкновенный такой нож, кухонный.

— А кто его?

— Жена с мужем с самого утра ссорились. Ни детей не постеснялись, ни ее родителей, которые пришли повидать внуков. Он пьяный, она — в истерике. В какой-то момент жена схватила нож, ткнула мужа в спину и даже не поняла, что сделала. Сама кричит, и все кричат, никто никого не слышит... Первыми спохватились ее родители: чего это зять замолчал? Подняли его, а он уже мертвый.

На лицах милиционеров не отразилось никаких эмоций.

— Такие квартиры бывают, что в кино не увидишь, — рассказал другой, чернявый. — Соседи вернулись из отпуска, услышали странный запах, сначала долго стучали, а потом взломали дверь. Обнаружили труп старушки. Ей было восемьдесят лет. Бабка умерла, судя по всему, во сне. Но это произошло неделю назад. Запах в комнате невыносимый, хотя мы окно сразу открыли.

Увезти труп было не на чем. Участковый пошел к себе звонить — квартира без телефона, район новый. А меня одного оставил. Я к окну встал и старался не смотреть на голый труп старухи, — продолжал милиционер. — Из мебели у нее был только старинный комод. Когда мы пришли, дверца комода была открыта. Я заглянул внутрь — две полки совершенно пустые, но видно, что еще недавно здесь что-то лежало: по краям пыль, а в центре чисто. Соседи, ясное дело, прибрали что было ценного.

Третьему, самому старшему из них, тоже было что вспомнить.

— Я на первом году дежурил по ночам в Госбанке. Повадился один поганец в одно и то же время мимо меня пробегать и грубить. А я за стеклянной дверью стою. Дверь-то закрыта. Пока открою, он уже исчез в переулке. Несколько дней я терпел. Потом попросил товарища пойти со мной. Он занял мое место за дверью, а я в переулке спрятался. Ровно в половине первого ночи этот поганец мимо банка пробежал, проорал свое — и в переулок. А тут я.

У него ни шрама, ни синяка не осталось. Я ему только несколько раз дал по промежности. Думаю, его девка не скоро от него удовольствие получила.

Он ухмыльнулся, и другие тоже заулыбались.

— Да, себя надо уметь поставить, — согласились они.

Кристи вся извелась, сидя на скамейке. За себя она не боялась. В крайнем случае ее просто вышлют домой. Но что будет с Конни? Он-то остается в их полной власти.

Только в девять вечера ее вновь вызвали на допрос. В том же кабинете, где она уже была, вместо скучного офицера в мятой форме за большим письменным столом сидел невысокий симпатичный человек в штатском, с мешками под глазами — верный признак нездорового сердца.

— Садитесь, — сказал он.

Когда она села, он нагнулся вперед и посмотрел ей в глаза.

— Госпожа фон Хассель, я вас ни о чем не буду расспрашивать. Ваш друг мне абсолютно все рассказал. Если вы хотите, я вас немедленно отправлю домой. И закончим с этой историей. Мы уважаем гостей, но требуем, чтобы и гости уважали наши порядки.

Он говорил очень тихо, и Кристи ловила каждое его слово.

— Слава богу! — просияла она. — Конечно, я хочу, чтобы меня немедленно отпустили.

Он встал и распахнул дверь.

— Дежурный!

Прибежал милиционер с кобурой на боку.

— Приготовьте вещи гражданки Хассель и отвезите ее на вокзал. Сами посадите на поезд и проследите за тем, чтобы она ни с кем не вступала в контакт и никому не звонила.

Хозяин кабинета отошел в сторону, чтобы Кристи могла выйти. Она рванулась вперед, но на пороге остановилась.

— А что будет с Конни?

— Что именно вас интересует? — вопросом на вопрос ответил он.

— Что вы с ним сделаете?

Он помедлил с ответом, внимательно глядя на нее.

— Он гражданин нашей республики, и к нему закон не будет столь же снисходителен как к вам, иностранке.

Страх охватил Кристи.

— Его посадят? — обреченно спросила она.

— Поезжайте к себе в Западную Германию, госпожа Хассель, и забудьте этого молодого человека, — сказал он. — Он благородно взял на себя всю вину, так что у вас никаких проблем не будет.

Кристи секунду молчала.

— Я не брошу Конни одного, — твердо сказала она. — Я хочу остаться с ним.

Хозяин кабинета засмеялся.

— Как вы себе это представляете? Ваша виза заканчивается, вам в любом случае завтра надо покинуть территорию Советского Союза.

— Я не уеду, пока не узнаю, что ждет Конни, — твердо заявила Кристи.

Она подошла к хозяину кабинета:

— Прошу вас, выслушайте меня.

— Хорошо, — сказал он. — Садитесь.

Он отпустил дежурного и плотно закрыл дверь.

Кристи совсем не походила на своих одноклассниц и подруг, которые мечтали поскорее уехать в какой-нибудь большой город. Когда Кристи поняла, что у нее есть собственные планы на жизнь, она задумалась: а как же мама?

Для мамы все было просто. Если Кристи не успевала вовремя накрыть на стол, она рисковала остаться без обеда или ужина. Она должна была научиться играть на двух музыкальных инструментах — на пианино и на еще одном по собственному выбору.

В половине шестого вечера Кристи должна была быть дома — никаких игр с подружками в позднее время. До ужина и после ужина — приготовление уроков. Свет в ее комнате гасился ровно в десять часов. Однажды Кристи попыталась объяснить матери, что солнечный свет идет до Земли восемь минут, поэтому она имеет право читать в постели не до десяти, а до восьми минут одиннадцатого.

Познания дочери порадовали мать, но свет был выключен ровно в десять. «Я строга с тобой, потому что люблю тебя», — говорила мать.

Накануне выпускного вечера они с мамой несколько раз ездили в магазин, где мама придирчиво изучала современные фасоны. Затем они быстро возвращались домой, и мама садились кроить платье из старого отреза. Она хотела показать дочери, что у хорошей хозяйки ничего не пропадает. И нет смысла тратить деньги на то, что можно сделать самой.

Мама шила хорошо, но в день выпускного вечера Кристи с огорчением поняла, что платье несет на себе отпечаток самодельности — другие девушки пришли в модных нарядах, купленных в дорогих магазинах.

Когда Кристи уезжала в университет, мама спустилась в кухню раньше обычного и приготовила большой завтрак. Она настояла на том, чтобы Кристи поела как следует, — это было последнее, что она могла сделать для своей дочери, которая уходила из родительского дома в самостоятельную жизнь.

А Кристи накануне отъезда позволила себе первую вольность в родительском доме. Поздно вечером, когда шел дождь, она вдруг выскользнула из дома. Ночь была черной и теплой.

Кристи подняла руки. Дождевые капли затекали под рукава. Ей нравилось стоять так. Она взглянула на горящие окна. В гостиной, склонившись над газетой, сидел отец.

Кристи поняла, что старая жизнь закончилась. Приятно было ощущать босыми ногами мокрый песок. Она надеялась, что это достаточно прочная почва для ее новой жизни.

Лило, как из ведра, а Кристи все стояла и стояла во дворе.

Мать вышла на крыльцо и увидела, что Кристи стоит под дождем.

— Промокнешь. Немедленно иди домой! — закричала мать. — Лучше ничего не могла придумать?

Кристи с нежностью смотрела на маму, стоявшую под навесом.

— Марш в ванную! — приказала мать.

В ванной комнате Кристи сбросила мокрое платье, намылилась и опустилась в горячую воду. Кристи почему-то представила себя на студенческой вечеринке, где ребята наперебой станут приглашать ее потанцевать. Она вынуждена будет им отказывать, потому что не любит танцевать. Это то, о чем однажды с ней говорила мама: как же ты собираешься делать то, что тебе не нравится, но что делать все равно придется?

— Кристи, не пытайтесь кому-то подражать, — сказал ей профессор на первом курсе. — Вы не похожи на других девушек, сохраните в себе эту самостоятельность.

Верхний свет в кабинете так и не зажгли, за что Кристи была только признательна. Она считала, что выглядит ужасно — после всей этой истории. Сумочку с дамскими принадлежностями у нее отобрали, и она даже не могла посмотреться в зеркальце.

Ей хотелось попроситься в туалетную комнату, чтобы умыться и причесаться, но она боялась прервать разговор с этим вполне располагающим к себе следователем. Впрочем, он не сказал, кто он такой. Она сама решила, что перед ней следователь.

Он просил называть его просто Григорием Алексеевичем. Большая настольная лампа под матерчатым абажуром освещала левую сторону его лица, оставляя в тени правую, поэтому Кристи невольно обращалась к светлой половине.

Она рассказала ему все, как на духу, со всеми подробностями и деталями. Она говорила торопливо, боясь, что следователю надоест слушать и ее выставят. Но человек, просивший называть его запросто, по имени-отчеству, никуда не торопился. Он дал Кристи выговориться, потом, не теряя интереса к собеседнице, стал расспрашивать. О родителях, о детстве, об учебе в университете, о том, почему она приехала в СССР и что она здесь увидела.

— И вы любите Конрада? — вдруг просил он.

— Да.

В комнате повисла тишина. Григорий Алексеевич так же спокойно продолжал ее рассматривать. Кристи сказала все, что могла, и ее охватило ужасное ощущение полной безнадежности. Ей казалось, что это молчание продолжалось целую вечность, хотя на самом деле, вероятно, прошло всего лишь минут десять. Наконец Григорий Алексеевич заговорил:

— Мне нужно идти докладывать начальству. Вас пока что покормят.

Он вызвал дежурного, который увел Кристи.

Для начала Кристи попросилась в туалет и с наслаждением умылась, но не рискнула воспользоваться висевшим на стене мятым вафельным полотенцем, а обошлась собственным носовым платком. Критически осмотрела себя в маленьком зеркальце и решила, что она мало привлекательна. Слишком тонкие губы, тупой нос, широко расставленные глаза.

Ужасная мысль пришла ей в голову: что, если Конни рад возможности избавиться от нее, а она вроде как виснет у него на шее? Может, он, как это свойственно всем мужчинам, уже добился своего и теперь она ему нисколько не нужна?

Это подозрение отравило два часа ожидания. Ее отвели в буфет, где усталая официантка с кудряшками дала ей порцию сосисок с картофельным пюре и чашку горячего сладкого чая. Чай Кристи выпила с удовольствием и съела полсосиски под насмешливым взглядом дежурного милиционера, который, кряхтя и причмокивая, прикончил две порции под одобрительное нашептывание пухлой официантки.

В опустевшем коридоре, глядя в выщербленную стену, Кристи ждала решения своей судьбы почти до полуночи. Ее крепкая крестьянская природа начала брать верх, и постепенно она совершенно успокоилась. Кристи стало клонить в сон, и она бы, вероятно, уснула, если бы ее не растолкали и не повели в кабинет к Григорию Алексеевичу.

Она посмотрела на него с сочувствием. Было видно, что следователь здорово устал, хотя вида не показывал. Глаза у него запали, но он слегко улыбался.

Посмотрел на Кристи оценивающе.

В девять часов вечера к нему в кабинет привели совершенно раздавленную девушку, которая была в ужасе от случившегося.

Сейчас, уже за полночь, перед ним сидела уставшая, но полностью владевшая собой женщина.

Его предупредили, что она чуть не заснула на скамье в коридоре отделения милиции — не многим это удавалось. Григорий Алексеевич сделал вывод, что перед ним женщина с сильным характером, самостоятельная и уверенная в себе, хотя еще и очень неопытная.

С женщинами Григорий Алексеевич работал мало. Этим направлением ведали другие, поэтому он боялся промахнуться. Но право окончательного решения было за ним. И он решился.

— Я должен вам кое-кто рассказать, Кристина, — сказал он. — Я не работаю в милиции.

Он внимательно следил за ее реакцией. Кристи вопросительно посмотрела на него.

— Я работаю в Комитете государственной безопасности СССР. Меня попросили заняться вашим делом, потому что товарищи из милиции подозрительно относятся к иностранцам или иностранкам, которые совершают что-то запрещенное, нарушают нормы общественной морали.

— Они решили, что я шпионка? — прервала его Кристи.

— Почти, — почему-то весело сказал Григорий Алексеевич.

Верхний свет он так и не включил. Но в сон Кристи

больше не клонило. Настольная лампа по-прежнему бросала резкую тень на лицо следователя, который оказался не тем, за кого она его принимала.

— Наша милиция занимается только уголовными преступниками, у нее нет опыта работы с иностранцами, — продолжал Григорий Алексеевич.

Кристи наклонилась вперед:

— Надеюсь, вы меня не подозреваете в шпионаже?

Григорий Алексеевич ответил не сразу.

— Проблема не в вас, а в Конраде.

Теперь он говорил очень медленно, и Кристи ловила каждое его слово.

— Конрад не имел права не только приводить вас домой, но и вообще знакомиться с вами. Он совершил серьезный должностной проступок.

— Но почему? — взорвалась Кристи. — Неужели гражданам СССР запрещено любить граждан ФРГ?

— Конрад не простой гражданин, — ответил Григорий Алексеевич, словно не обратив внимания на ее вспышку. — Он сотрудник Комитета государственной безопасности СССР.

И тут же добавил:

— Вас он не обманывал. Он действительно работает в радиомастерской, но мастерская принадлежит Комитету государственной безопасности, поэтому на Конрада тоже распространяются жесткие правила, принятые в нашей организации. Сами понимаете, чем это продиктовано. У вас в стране существуют такие же правила. Он обязан был сразу доложить начальству о знакомстве с гражданкой другого государства, но не сделал этого.

— Что его ждет? — устало спросила Кристи. — Насколько тяжелым считается это преступление по вашему кодексу?

Она уже все поняла. В реальном и жестоком мире их любовь стала жертвой нелепого раскола мира на Запад и Восток.

Григорий Алексеевич испытующе смотрел на нее. Он хотел быть уверенным, что правильно понимает ее интонации. Лучше бы ему разобраться во всем сейчас.

— Я очень долго разговаривал с Конрадом. Он честно признался мне, что полюбил вас, что ради вас он нарушил свой долг. Он тяжело переживает случившееся, но говорит только о вас. Он очень огорчен, что вовлек вас в такую неприятную историю.

— Так что с ним будет? — упрямо переспросила Кристи.

— Ни-че-го, — отчеканил Григорий Алексеевич. — Я убедил свое начальство в том, что за любовь нельзя наказывать. Он прекрасный молодой человек, хороший специалист, которого ждет большое будущее.

— Спасибо вам. — Кристи улыбнулась впервые за весь этот долгий день, и Григорий Алексеевич убедился в том, что улыбка у нее хорошая. Фотографии это скрытое очарование передать не могли.

— Я могу его увидеть? — нерешительно спросила Кристи. — Или меня сразу же вышлют?

Григорий Алексеевич вытащил из картонной папки какую-то бумагу и стал ее рассматривать.

— В принципе вам разрешено остаться в Советском Союзе еще на неделю. Разумеется, если вы этого хотите. Визу вам продлят в отделе виз и регистраций московской милиции в установленном порядке, — ответил он.

Кристи вскочила на ноги с такой легкостью, словно было раннее утро, а не поздняя ночь. Григорий

Алексеевич позавидовал этой легкости. Ему вторая бессонная ночь давалась с трудом.

— Одна просьба, — усталым жестом остановил ее Григорий Алексеевич. — Ради Конрада вам не следует никому рассказывать о том, что произошло. Протокол, составленный в милиции, я изъял.

— Я все понимаю, — серьезно сказала Кристи. — Это в моих интересах.

В ее глазах не было ни капли иронии.

Конни ждал на скамейке у соседнего дома. Перед зданием отделения милиции скамеек не было. Увидев ее, Конни бросился ей навстречу, потом остановился. «Он не знает, как ему поступить», — подумала Кристи. Она побежала к нему. Он молча сжал ее в объятиях.

Кристи убедилась, что Григорий Алексеевич сдержал свое слово. Всей немецкой делегации предложили остаться еще на неделю в Советском Союзе — просто на отдых — и повезли в Ленинград. А Кристи спокойно прожила эту неделю в трехкомнатной квартире приятеля Конни на Ломоносовском проспекте, и больше их никто не беспокоил.

Утром он ходил в магазин за едой, а она что-нибудь готовила, днем они гуляли в парке вокруг университета, вечером покупали билеты в кино. Кристи предпочитала советские фильмы, ей было любопытно увидеть, что представляет собой социалистическое кино. Конни выбирал иностранные фильмы.

Выстояв в очереди, Кристи посмотрела вместе с ним две новые советские комедии, но она не всегда понимала, почему зрители смеются.

Ночью они занимались любовью. Кристи хронически не высыпалась, и у нее под глазами залегли круги. Теперь она, как в детстве, прикладывалась на диванчик после обеда. Конни дремал прямо в кресле.

На Белорусском вокзале Кристи заплакала. Расставание было безумно печальным. Она чувствовала, что Конни не в своей тарелке, его гложут какие-то мысли. Когда они теперь смогут увидеться?

Когда поезд тронулся, Кристи уткнулась носом в какой-то журнал, который ей подсунул Конни вместе с домашними пирожками и яблоками — в дорогу, но читать не могла. Она думала только о Конни. Она полюбила его навсегда. Другого мужчины у нее не будет, решила она. Другой и не нужен.

ГЛАВА ТРЕТЬЯ

У Вилли Кайзера все пошло наперекосяк — и на службе, и дома. После разрыва с женой он стал невнимательным, на совещаниях уходил в свои мысли. Подчиненные недоуменно переглядывались.

Затем по ведомству поползли слухи о том, что после выборов Вилли отправят в отставку. Скоро эти слухи достигли и ушей самого Кайзера. Это был еще один удар, от которого трудно было оправиться.

Год назад Вилли Кайзер был назначен руководителем Федерального ведомства по охране конституции и за это время успел испортить отношения со всеми, с кем только мог.

— Под каждой овечьей шкурой обязательно прячется волк. И ведомство по охране конституции вынуждено считаться с этим обстоятельством. — Вилли Кайзер произносил эту фразу всякий раз, когда встречался с депутатами.

Депутаты подозревали его в том, что он пытается создать нечто среднее между нацистским гестапо и советским КГБ. Вилли Кайзер старался переубедить депутатов, но это у него не очень получалось. Депутаты органически не любят руководителей секретных служб.

Главу ведомства по охране конституции по его значимости в обществе можно сравнить с главой крупного концерна. Но у главы концерна работа надежнее.

Когда канцлер подписал приказ о назначении Вилли Кайзера руководителем ведомства, он сказал:

— Я ставлю перед вами четыре задачи. Во-первых, вы должны следить за левыми и правыми экстремистами, которые угрожают нашему обществу. Во-вторых, вы должны заняться террористами, которые недавно появились в республике. В-третьих, вы должны выявлять иностранных шпионов и, в-четвертых, проверять благонадежность государственных чиновников, имеющих доступ к государственной тайне.

Вилли Кайзер поклонился, пожал канцлеру руку и пошел служить.

Борьба с внутренним врагом во всех странах осуществляется полицейскими методами. Специальные службы получают право наряду с полицией проводить обыски, аресты и допросы.

В Федеративной Республике пошли иным путем.

После войны, когда Западная Германия еще управлялась союзническим оккупационным командованием, американцы, англичане и французы решили, что ФРГ, конечно же, должна иметь контрразведку для борьбы с бывшими нацистами, а также с коммунистами, которые хотят захватить всю Германию. Но западногерманскую контрразведку лишили полицейских полномочий.

Ведомство по охране конституции не имеет права проводить аресты, обыски и допросы. Оно должно собирать информацию и анализировать ее, а остальное — дело полиции, прокуратуры и судов.

Ветераны спецслужб считали, что немецкую контрразведку просто-напросто кастрировали. Но Вилли Кайзер и не думал нарушать эти правила. Если его в чем-то и можно было обвинить, это в прямолинейности. Он так и не понял, как важно сотрудничать с коллегами по правительству, и быстро поссорился с ключевыми министрами, в том числе с министром внутренних дел, который, по существу, был его начальником.

Вилли вырос в простой, но уважаемой семье. Его отец, лейтенант вермахта, участвовал в заговоре 20 июля 1944 года против Гитлера. Заговор не удался, его основных участников казнили. Среди них был и Кайзер-старший. После войны антифашистское прошлое отца открыло Вилли путь в юриспруденцию.

Западная Германия не знала, что делать со своими судьями и прокурорами. Все эти люди так или иначе участвовали в нацистских преступлениях. Но как можно избавиться от всех судей и от всех прокуроров?

Первый канцлер ФРГ Конрад Аденауэр, которого ни в чем нельзя было обвинить, потому что он сам не сотрудничал с нацистами, решил, что придется строить новую страну с помощью старых нацистов. Других чиновников у него просто нет.

Практически все западные немцы, за исключением небольшого числа эмигрантов, участников Сопротивления и либеральных писателей, были против изгнания с работы чиновников бывшей нацистской империи. Никто не вправе их судить, говорили западные немцы, потому что никто не знает, как бы он сам повел себя в таких обстоятельствах.

Бывшие нацистские юристы отчаянно защищались: как можно осуждать деяния, которые совершались в полном согласии с существовавшими на тот момент законами? Один бывший нацистский судья предложил универсальную формулу самооправдания: «То, что было правильным вчера, не может быть неправильным сегодня».

Немецкие судьи, выносившие смертные приговоры во времена нацизма, поступали так не из жажды убийства. Немецкие судьи руководствовались своей глубокой и беспрекословной верой в авторитет власти. В Западной Германии их признали невиновными, потому что они действовали в рамках законов того времени.

Но канцлер Аденауэр хотел видеть и новое поколение юристов, не связанных с Третьим рейхом. Поэтому молодого Вилли Кайзера, сына известного антифашиста, после защиты докторской диссертации охотно взяли в прокуратуру. Он хорошо вел дела, умело выступал в суде и быстро продвигался по службе.

Но работа в прокуратуре не учит гибкости, умению сотрудничать и прощать другим мелкие слабости. Скорее, наоборот. С нравами правительственного бюрократического аппарата Вилли Кайзер познакомился, уже став главой ведомства по охране конституции, и слишком поздно понял, что, если хочешь удержаться на таком посту, надо учиться ладить с людьми.

Вилли попытался откровенно поговорить с самим канцлером, но в секретариате посоветовали до выборов канцлера пустяками не беспокоить, а текущие вопросы решать с министром внутренних дел. Но этого напыщенного индюка Кайзер на дух не переносил.

Тайные поездки в публичный дом в Гамбурге, о которых знал только его старый друг, на чью скромность он мог полностью положиться, приободрили Вилли. Он не знал, рискнет ли продолжать этот опыт, но кое-что в его жизни изменилось.

Наутро после посещения Гамбурга он приезжал на работу в приподнятом настроении. Таким его давно здесь не видели.

Первым делом Вилли Кайзер потребовал составить ему справки о левом терроризме и вероятных контактах ультралевых и палестинских террористов с Восточной Германией — для доклада правительству.

Его старший помощник фрау Марион работала с Вилли Кайзером почти двадцать лет. Она была старой девой, по-своему любила и почитала своего шефа. Много раз она выводила его, пьяного и плохо соображающего, через задний выход к машине, чтобы никто не увидел своего начальника в плохой форме. Опытный водитель служебной автомашины руководителя западногерманской госбезопасности был нем как рыба.

Фрау Марион позвонила начальникам двух отделов, чтобы они срочно подготовили Кайзеру справки, а сама стала соединять шефа с людьми, которые последние дни тщетно пытались связаться с ним по телефону.

Ровно в полдень первая справка была готова. В приемную Кайзера ее принесла личный помощник начальника отдела по борьбе с правым и левым терроризмом Кристина фон Хассель.

Вот уже год она работала в ведомстве по охране конституции. Первый месяц осваивала новую специальность, а еще через два месяца начальник отдела, отметив ее уникальную работоспособность, преданность делу и блестящие аналитические способности, назначил ее своей помощницей.

Кристина вошла в секретариат Вилли Кайзера с папкой в руках. Две машинистки выбивали дробь всеми десятью пальцами, прилизанный молодой человек за столиком в углу что-то записывал, прижав плечом телефонную трубку.

Фрау Марион придирчиво осмотрела Кристи. Она не одобряла молодых да ранних барышень, которые подозрительно быстро делают карьеру в чисто мужском обществе. Но придраться к Кристи было невозможно. Накрахмаленная белая блузка, идеально выглаженная темно-синяя юбка, аккуратная стрижка, минимум косметики, очки в тонкой золотой оправе.

Фрау Марион провела Кристи в небольшую приемную и, оставив одну, вошла в кабинет Кайзера. Кристи присела на краешек потертого кресла, положив папку на колени, обтянутые юбкой, и приготовилась ждать.

Ждать ей пришлось недолго. Из кабинета Кайзера вдруг донеслись раскаты начальнического баса. Дверь распахнулась, и в приемную вылетел багровый от гнева Вилли Кайзер. Он продолжал кричать:

— Я в отставку не уйду! Я его самого вышибу из правительства! Да я этого паршивого министра знаю как облупленного, со всеми его грязными делишками!

Вслед за Кайзером появилась взволнованная фрау Марион. Она не успела предупредить шефа, что в приемной сидит чужой человек.

— Господин директор, — остановила она Кайзера, — справка, которую вы заказывали, готова.

Вилли Кайзер повернулся в сторону Кристи. Несколько секунд он непонимающе смотрел на молодую серьезную женщину в очках. Потом, справившись с обуревавшими его чувствами, улыбнулся и протянул руку за папкой:

— Давайте вашу справку.

Кристи почувствовала запах коньяка, но опытная фрау Марион тут же выставила ее из приемной.

— Вы свободны, милочка, — сказала она и распахнула перед ней дверь в секретариат.

Вернувшись к себе, Кристи никому не рассказала о том, чему она только что была свидетелем. Она села разбирать секретные бумаги, скопившиеся в сейфе, и несекретные, которые ждали своего часа в письменном столе. К концу дня эта работа была закончена. Кристи попрощалась с начальником и сдала в службу внутренней охраны ключ. Это был ее последний рабочий день, она отправлялась в отпуск.

— Зимой? — удивлялись сослуживцы. — Зачем вы идете в отпуск зимой?

— Безумно люблю кататься на горных лыжах, — отвечала Кристи.

Она легко научилась лгать. Горные лыжи и зимние курорты она видела только в кино. Кристи, как и все, предпочла бы взять отпуск летом. Но ей не терпелось увидеть Конни. Ждать до лета не было сил.

В самолете Кристи думала о том, что больше года прошло с того момента, как на вокзале в Москве они с Конни расстались. За все это время она решилась написать ему всего три письма и от него получила два. Когда они прощались, Конни, помявшись, предложил:

— Мы оба попали в трудное положение. У вас не любят наших, а у нас — ваших. Я тебе дам адрес моего приятеля в Австрии. Дай и ты мне чей-нибудь адрес, чтобы мы могли переписываться. Но я думаю, что, пока ты на работу не устроишься, нам придется писать друг другу пореже.

В первый раз Кристи написала ему через полгода после того, как ее взяли в ведомство по охране конституции. Она не подписалась, не указала обратного адреса на конверте и бросила его в почтовый ящик, когда ездила в Бонн на совещание.

Предложение поступить на службу в Федеральное ведомство по охране конституции было для нее приятным сюрпризом. Дело не только в том, что ей сразу же дали высокооплачиваемое место. Ей понравилась сама работа, требующая больших знаний и серьезного анализа. Ей поручили изучать связи немецких боевиков с ближневосточными террористическими организациями. Она должна была понять, кто и как помогает немецким террористам.

В венском аэропорту Кристи затерялась среди множества туристов, которые действительно обожают горнолыжный спорт. Это она предложила Конни встретиться в соседней Австрии, когда он написал, что имеет возможность ненадолго выехать за границу.

Во всем мире знают Австрию как славное местечко для зимнего и летнего отдыха. Желающих отдохнуть привлекают скалы, ледники, фантастические горные пейзажи, старые крестьянские усадьбы, национальные костюмы, сохранившиеся с древности красочные народные обычаи и тирольские песни.

Кристи сама назвала время встречи и определила маршрут. Изучая путеводители по Австрии, она думала о том, что, по существу, это первая в ее жизни самостоятельная конспиративная операция.

Из Вены она отправилась в Леобен, второй по значению город федеральной земли Штирия. Это самый зеленый район Австрии. Почти половину его площади занимают леса, еще одну четверть территории — поля, пастбища, виноградники и альпийские луга. Во времена Австро-Венгерской империи Леобен был сонной обителью пенсионеров, теперь это современный город.

Леобен показался Кристи музеем под открытым небом. Мужчины преспокойно ходили в живописной старомодной одежде — в куртках с зеленым воротником и в брюках с широкими лампасами. В таком штирийском костюме, пояснили Кристи, можно не только гулять по улицам, а и появляться в обществе.

Но на других мужчин Кристи не смотрела. Она считала минуты, оставшиеся до встречи с Конни, ее Конни, который невероятным образом выбрался в Австрию, чтобы они могли повидаться.

Конрад Целлер сидел в холле гостиницы в большом мягком кресле. Его теплое с меховым воротником пальто и новенькая шляпа лежали рядом. В руках он держал венскую газету, но не читал, а смотрел на вход. Когда Кристи открыла стеклянную дверь, он бросил газету и почти побежал к ней. Они обнялись. Кристи прижалась к нему и закрыла глаза. Вместе, наконец-то они вместе. Какое счастье!

Конни снял номер на двоих в маленькой гостинице на окраине Леобена. Он предусмотрительно заказал обед и ужин в номер, и до следующего утра они из номера не вышли. Ужин был с шампанским, и Кристи огорчилась, что Конни тратит слишком много денег. Но он легкомысленно качнул головой. Они не виделись больше года, и такое событие просто необходимо отметить шампанским.

Кристи привезла ему в подарок несколько тщательно подобранных галстуков, темно-коричневый джемпер и дорогую электрическую бритву фирмы «Браун». Бритву Конни сразу же опробовал, крутясь перед небольшим зеркалом в тесной ванной комнатке отеля. А примерить джемпер он так и не успел, потому что Кристи вовсе не хотела, чтобы он одевался.

Год воздержания и ожидания лишил ее прежней скромности. Когда они остались одни в номере и Конни запер дверь, она с таким пылом прижалась к нему всем телом, что Конни стало жарко. Они не захотели тратить впустую ни одной секунды. Она и раздеться не успела, как Конни уже вонзился в нее. «Делать это стоя? Боже мой, это же совершенно неприлично», —

мелькнуло у нее в голове, но уже через секунду все это ровным счетом не имело никакого значения.

Они стащили с себя одежду уже только в ванной, вместе полезли под душ и здесь вновь любили друг друга. Кристи обеими руками держалась за стойку старого душа, струи воды били ее прямо в лицо, и она с ума сходила от счастья.

Конни заснул сразу, как только они улеглись на широкую двуспальную кровать. Кристи укрыла его простыней и, надев привезенную с собой пижаму, прикорнула рядом. Когда Конни проснулся, то, ни слова не говоря, стащил с нее эту пижаму, и все началось сначала. В первый день поговорить им так и не удалось.

На следующее утро она повела Конни на прогулку. Все было, как раньше: она рассказывала, он слушал. Только когда они присели на скамейку на центральной площади города, Конни вдруг сказал:

— Я очень скучал. Мне без тебя плохо.

У Кристи на глазах выступили слезы. Она взяла его под руку и тихо, чтобы никто не слышал, сказала:

— Может быть, переедешь ко мне?

Конни покачал головой.

— Ты знаешь, что это невозможно. Разве я могу бросить родителей? Да и как у вас ко мне отнесутся... Представь себе, офицер госбезопасности из Советского Союза переезжает в Западную Германию. Такой шум поднимется, что жизни у нас с тобой никакой не будет. Ты работу потеряешь.

— Новую найду, — сказала Кристи.

— Найдешь, да не такую, какая тебе нравится, — резонно возразил Конни. — Все будут относиться к тебе подозрительно. «Ее муж был офицером советской госбезопасности!» Никто же не станет разбираться, что я всего лишь технарь и военную форму никогда не надевал.

Разговор у них получился грустный. Вокруг на площади было полно больших и маленьких ресторанов и кафе. Перед ресторанами на тротуарах стояли столики, и люди, раскрасневшиеся на морозе, пили глинтвейн. Блестели высокие стеклянные стаканы с рубиновым вином. Когда двери открывались и выбегал официант с подносом, уставленным стаканами с глинтвейном, из кабачков доносилась музыка. Пахло поджаренными сосисками, корицей и бочками — винными и пивными.

В другое время Конни уже давно заказал бы себе пива, но сейчас он сидел на скамейке тоскливый и угрюмый.

— Хочешь, я перееду к тебе? — предложила Кристи.

Конни с надеждой посмотрел на нее.

— А ты смогла бы?

— Да, — твердо ответила Кристи.

Конни поцеловал ее и обнял, хотя не любил этого делать на публике. «Я человек старого воспитания», — говорил он.

— Но твои родители — что они скажут? — спросил Конни.

— Я уже взрослая, — улыбнулась Кристи. — У вас ведь безработных нет, проживем.

Конни вдруг опять нахмурился.

— Ну что случилось? О чем ты задумался? — озабоченно спросила Кристи.

— Тебе не поверят, — нехотя сказал Конни.

— Кто?

— Наши. Решат, что ты выполняешь задание западногерманской разведки.

— Но это же глупость! — возмутилась Кристи.

Конни пожал плечами и замолчал.

Кристи сдалась первой.

— Что же делать?

— Может, пообедаем пока? — предложил Конни.

Австрия формировалась под влиянием трех культур — романской, германской и славянской. В ресторане Кристи сразу поняла, что слияние народов отразилось прежде всего на кухне. Австрийцы — сибариты, они оставили себе кухню тех народов, которые после Первой мировой войны с радостью покинули развалившуюся Австро-Венгерскую империю.

В меню были гуляш и цыпленок в соусе, они перешли к австрийцам от венгров. Гусь с яблоками — подарок поляков. Творожные кнедли и маковые струдели — от чехов.

Конни выбрал венский шницель, который на самом деле родом из Византии. Ему принесли огромную тарелку с мясом, картофелем и овощами, и его настроение улучшилось. Кристи заметила, что таких гигантских порций ни в Советском Союзе, ни в Западной Германии не подают.

Еще в Кельне, заглянув в телефонный справочник австрийской столицы, Кристи обнаружила, что немецких фамилий здесь меньше, чем славянских, венгерских и итальянских. «Не поймешь, в какой стране находишься», — подумала Кристи.

Глядя сейчас на ресторанную публику, Кристи решила, что австрийцы лишь очень отдаленно напоминают немцев. Австрийцы веселились с непосредственностью и живостью итальянцев. Но пили не вино, а пиво, причем заказывали сразу литровые кружки. И Кристи удовлетворенно подумала, что все-таки в австрийцах осталось немного немецкой крови, которая жаждет пива.

— Есть у меня одна идея, — пробурчал Конни, пережевывая свой шницель.

Конни не смогла отучить его разговаривать с набитым ртом. Но сейчас было не до правил хорошего тона.

— Надо, чтобы тебе наши поверили. Убедились, что ты против них ничего не замышляешь, тогда они разрешат нам жить вместе. Ты переедешь в Москву, нам дадут квартиру, может быть, дачу. Тебе работу подыщут, — сказал Конни.

— А что для этого требуется? — заинтересованно спросила Кристи.

Она знала ответ.

Конни внимательно посмотрел на нее.

— Помнишь Григория Алексеевича, который с тобой в милиции разговаривал?

Кристи кивнула.

— Он хороший мужик. Он к тебе проникся уважением. За твердость и волю. Ты когда уехала, он мне сказал: «Повезло тебе, Конрад, с такой девушкой. Держись за нее».

Конни опять занялся своим шницелем. Кристи нетерпеливо спросила:

— И что твой Григорий?

— Он может нам помочь. У него авторитет знаешь какой!

— И как с ним встретиться?

— Можно к нам поехать, в Москву, — сказал Конни. — А лучше ему позвонить, он сюда приедет.

Конни покончил со шницелем, расстегнул верхнюю пуговицу рубашки и удовлетворенно откинулся на стуле.

— Твой Григорий готов ради нас приехать сюда в Австрию? — переспросила Кристи. — Он хочет, чтобы я работала на ваш Комитет государственной безопасности, так? Я все правильно поняла? Скажи, Конни?

Ее голос зазвенел, а на глазах выступили слезы.

Конни повернулся к ней, аккуратно снял ее очки и своим носовым платком вытер ей глаза.

— Ты самая умная женщина на свете, — сказал он, — а такие глупости говоришь. Сама подумай, что ты ему можешь такое важное сообщить? Ты же там секретарем работаешь. Дело-то в другом. Нашим нравится, когда с Запада люди переезжают в социалистические страны. Таких людей встречают с почетом. Им дают квартиру, деньги. Но наши должны быть уверены, что их не надувают.

Кристи понимала, о чем он говорит. Запад и Восток соревновались во всем; предметом особой гордости были перебежчики. На Востоке торжественно принимали беглецов с Запада. На Западе раскрывали объятия перед беженцами с Востока.

Но Кристи уже не была наивной девушкой. Конечно же, в Москве хотят, чтобы она на них работала. Она уже знала, что согласится. Ради Конни. Она будет ему помогать до того момента, когда они смогут наконец соединиться и жить вместе.

Кристи была очень домашней женщиной и хотела родить много детей.

Ее картина полного счастья была простой и ясной: большая дружная семья, которая живет вместе и в воскресенье собирается за большим круглым столом на праздничный обед. Ради будущей семьи она сделает все, что необходимо.

Вечером Конни ходил куда-то звонить и, вернувшись, сказал, что Григорий Алексеевич прилетит в Австрию через два дня.

Эти два дня в Леобене Кристи и Конни провели наилучшим образом — в постели или за ресторанным столиком. Кристи пила и ела немного. Но любовь Конни ее буквально преобразила.

Кристи расцвела. Прежде строгая и несколько угловатая, она стала женственнее. Лицо смягчилось. Она значительно чаще, чем прежде, улыбалась, глаза у нее повеселели. Мужчины оборачивались и провожали ее взглядом. Кристи это было приятно, хотя в их нынешней ситуации было бы разумнее не привлекать к себе внимания.

Однажды она попыталась затащить Конни в магазин мужской одежды, чтобы купить ему пару костюмов и новое пальто, но он был равнодушен к одежде. Зато охотно ассистировал Кристи, когда она примеряла что-то для себя. Кристи читала, что мужчины ненавидят сопровождать женщин, когда те ходят за покупками. Но Конни делал это с удовольствием. Он безропотно прошелся с ней по магазинам, ждал, пока она торчала в примерочных кабинках, благоразумно остерегался давать ей советы, но искренне одобрял все ее покупки.

Впрочем, по магазинам они прошлись только один раз. Больше всего им нравилось проводить время в постели. Кристи не могла насытиться, а Конни был неутомим. Однажды ночью она спросила его шепотом, спрятав голову у него на груди:

— Я тебя не заездила?

Он чуть заметно покачал головой. Он мог бы добавить, что еще не встречал женщины, чьи сексуальные аппетиты превосходили его собственные, но по привычке промолчал.

Московский гость приехал рано утром и позвонил им в номер. Они встретились через час в совершенно пустом кафе.

Кристи даже не сразу узнала Григория Алексеевича. Хорошо одетый, пахнущий дорогой туалетной водой, он совершенно не походил на человека, который год назад допрашивал ее в тесном кабинете заместителя начальника отделения милиции города Москвы. Григорий Алексеевич поцеловал ей руку и сел спиной к окну. Он заказал всем кофе с булочками, медом, джемом и маслом.

— Чудесно выглядите, Кристи, — произнес Григорий Алексеевич. — Этот год пошел вам на пользу.

Кристи отметила, что московский гость на редкость хорошо говорит по-немецки, но не приняла светского разговора. Она хотела знать, с кем она имеет дело, способен ли этот человек действительно помочь им и чего от нее потребуют взамен устройства ее личных дел.

— Григорий, — сказала она. — Вы знаете, где я работаю и чем я занимаюсь. Вы знаете, чего я... чего мы с Конни хотим. У вас ведь есть какое-то предложение, иначе бы вы сюда не приехали. Изложите его. Поговорим прямо.

Григорий Алексеевич согласно кивнул:

— Такой разговор и мне больше нравится.

Он допил кофе и аккуратно положил салфетку на стол.

— Вы с Конрадом достойная молодая пара. Вам надо жить вместе, и я рад помочь вам устроиться. Говорю это не только от своего имени. Но наше правительство озабочено тем, что Западная Германия ведет шпионаж против нашей страны. Среди тех людей, которые к нам приезжают и которых мы радушно принимаем, к сожалению, много разведчиков. И это влияет на настроения в обществе. Мы обязаны доказать советскому правительству, что вы настоящий друг нашей страны.

— Что же я должна для этого сделать? — настороженно спросила Кристи.

— Ничего, — тут же ответил Григорий Алексеевич. — Если можете, расскажите подробно о себе.

Кристи несколько растерялась

— Что же вас интересует?

— Все, — засмеялся он. — Я ведь государственный служащий, я должен составить отчет и дать свои рекомендации. Мне бы очень помогло, если бы я мог вас охарактеризовать как можно подробнее.

Они проговорили до самого обеда. Им пришлось сделать перерыв, когда Конни, тактично молчавший, начал озабоченно ерзать и принюхиваться к соблазнительным запахам, доносившимся с кухни. Григорий Алексеевич бросил на него понимающий взгляд и объявил, что Конни пора кормить.

— Я отведу вас в хорошее место. Здесь в городе, как и во всей Австрии, неплохо кормят, — сказал Григорий Алексеевич. — У вас в служебной столовой вы так не пообедаете.

— Это точно, — согласилась Кристи. — Правда, обычно я стараюсь есть поменьше, но кухня в ведомстве скучная.

— Наверное, для начальства есть спецбуфет? — предположил Григорий Алексеевич.

— Да, — подтвердила Кристи. — Но наш главный начальник предпочитает обедать где-нибудь в городе.

— Насколько я слышал, — заметил Григорий Алексеевич, — ваш Вилли Кайзер больше интересуется выпивкой, чем закуской.

— Такие разговоры ходят по ведомству, — сказала Кристи. — Но я думаю, что ему недолго сидеть на этом месте.

— Почему? — удивился Григорий Алексеевич. — У него такая хорошая репутация в вашей стране.

— Все это ничего не стоит, — возразила Кристи и пересказала то, чему была свидетельницей в последний день накануне отпуска. — Уверена, его выставят со скандалом, потому что, по слухам, он вместе с дружками где-то напивается и ходит к проституткам. Жена от него ушла.

— У всех бывают скандалы с начальством, — сочувственно заметил Григорий Алексеевич, который, видимо, не принял ее рассказа всерьез.

Он поднялся.

— Приглашаю вас пообедать, а потом я вас покину, потому что у меня есть кое-какие дела.

Он подал Кристи меховую шубку и распахнул перед ней дверь.

— Теперь я понимаю, почему в кафе можно провести всю жизнь, — сказал он. — Австрийцы так, собственно, и делают. Сидят здесь целыми днями, читают газеты, беседуют. Привычка сидеть в кафе добавила к австрийскому национальному характеру несвойственную вам, немцам, восточную созерцательность. А вы знаете, что кофейные зерна попали в Австро-Венгерскую империю из Турции?

Вечером в кабинете начальника Первого главного управления КГБ СССР состоялось экстренное совещание. Четыре генерала уже собирались разъехаться по домам, когда их пригласили к начальнику.

Поблескивая очками, начальник главка начал совещание ровно в десять часов вечера.

— Я думаю, что операция «Побег» должна быть проведена как можно скорее. Я почти уверен, что наш герой созрел для решительного разговора.

— Мы полностью готовы, причем к любому варианту, — сказал генерал Калганов. — Ждем приказа.

— Кстати, что он пьет? — поинтересовался начальник советской разведки.

— Бурбон, хороший бурбон, — ответил один из его заместителей.

— Позаботьтесь о том, чтобы у них был достаточный запас виски, — распорядился начальник разведки. — Если на оперативном складе нет, свяжитесь с нашей резидентурой в Западном Берлине, пусть завтра же закупят пару ящиков и пришлют с курьером.

Начальник разведки собрал документы в тонкую папку.

— Председатель утвердил план операции и подписал приказ. Все надо будет сделать в это воскресенье.

Австрию можно поделить на две части. В одной царит пиво, окруженное грудами шпика и свиных колбас. В другой правит вино.

— Южная Штирия, где мы с вами находимся, это винодельческий район, — говорил Григорий Алексеевич, заказывая вино к ужину.

Кристи с удовольствием пила вино, Конни слушал рассказы Григория Алексеевича о штирийских виноградниках, но предпочитал пиво. Он дул кружку за кружкой. Немногословный по природе, в присутствии московского начальника он и вовсе замолчал. Это нисколько не смущало Кристи. Конни был серьезным и надежным человеком, настоящим мужчиной, на которого можно положиться. Именно такой мужчина нужен любой женщине.

Выпитое подействовало на Григория Алексеевича благотворно. Он заказал на десерт клубнику со сливками, мороженое, кусок фруктового торта для Кристи. Сам он пил кофе с коньяком и благодушествовал.

— Подумать только, молодым австрийцам жизнь на родине кажется скучноватой. А почему? Потому что в Австрии все в порядке. Это страна, в которой никогда ничего не происходит. Ни террористических актов, ни политических землетрясений. Здесь люди ни за что не сражаются, а просто живут. И они еще недовольны.

Григорий Алексеевич засмеялся. Глупость австрийцев была очевидной.

— Скажу вам откровенно, Кристи, — сказал он, — в Австрии Карлу Марксу и марксистам делать нечего: здесь царит социальный мир. В Австрии даже забастовок не бывает.

Ложась спать, Кристи ехидно сказала Конни, который искал свои тапочки под кроватью:

— Твой Григорий, видно, не очень преданный член партии, если ему так нравится жизнь в капиталистической Австрии.

Кристи даже не подозревала, до какой степени она была права. Игорь Мокеевич Федоровский, полковник из управления нелегальной разведки, был счастлив вновь вернуться к оперативной работе. Это поездка в Вену была первой за пятнадцать лет заграничной командировкой.

В субботу утром глава ведомства по охране конституции Вилли Кайзер вылетел в Западный Берлин на совещание по юридическим вопросам. Правительство ГДР заявило протест по этому поводу: Западный Берлин не входит в состав ФРГ и западногерманские политики не имеют права рассматривать его как свою территорию. Протест был ритуальным, и внимания на него никто не обратил.

Вилли Кайзер мог бы и не участвовать в совещании, но в Западном Берлине жил его врач Ульрих Шуман. Они вместе учились в школе, Ульрих закончил медицинский институт, перебрался в Западный Берлин и завел там частную практику. Кайзер часто обращался за помощью к Ульриху.

У каждого бывают медицинские проблемы, с которыми не ко всякому врачу обратишься. Лысый и толстый Ульрих обзавелся большой клиентурой в первую очередь благодаря своей готовности помочь в самой щекотливой ситуации и привычке помалкивать. Даже самым близким людям он никогда не рассказывал о бедах и несчастьях своих пациентов, часто весьма высокопоставленных людей.

Прилетев в Берлин, Вилли из гостиницы сразу же позвонил Ульриху. Медицинская сестра, которая сняла трубку, узнала Кайзера и без промедления соединила с постоянно занятым доктором.

— Вилли, дружище, страшно рад тебе слышать! — пророкотал в трубку довольный Ульрих. — Ты надолго?

— Нет, завтра должен вернуться домой. Я могу тебя увидеть?

— Конечно. У тебя проблемы? Плохо себя чувствуешь?

— Это не телефонный разговор.

— Хорошо, хорошо, — согласился Ульрих. — Жду тебя вечером, поужинаем. Есть хороший бурбон, какой ты любишь.

Сержант Питер Кларк второй год служил в американской военной комендатуре в Западном Берлине.

Ему было тридцать девять лет, в Берлин его перебросили из Южного Вьетнама, и он наслаждался жизнью на полную катушку.

Невысокий, широкоплечий, с бочкообразной грудью, сержант Кларк с восьми утра до четырех вечера командовал своими солдатами, которые посменно несли службу на контрольно-пропускных пунктах между Западным и Восточным Берлином. После четырех Кларк был свободен и, переодевшись, мог закатиться в любой кабак в городе.

Если он слишком засиживался, то, придя домой, заплетающимся языком объяснял жене, что вынужден был сопровождать очередную шишку из Пентагона. Командированные из Вашингтона высшие офицеры не упускали случая поближе познакомиться с достопримечательностями Западного Берлина, который они защищали от коммунистов.

Кларка, как хорошо изучившего определенные городские достопримечательности, неизменно назначали им в помощь.

К американцам в Западном Берлине относились очень хорошо, и это была чудесная перемена после Сайгона. Каждое воскресенье сержант Кларк гулял с детишками в парке, и немцы были очень любезны. Они угощали его сыновей конфетами и старались говорить на школьном английском с металлическим акцентом. Кларк с трудом понимал их.

К доктору Ульриху Шуману он пришел в штатском костюме. Без привычной формы сержант чувствовал себя неуверенно. К доктору Шуману его устроил майор, помощник американского военного коменданта, который сам лечился у немецкого врача.

Доктор сидел за массивным пустым столом с чернильным прибором и внимательно слушал сержанта.

Кроме накрахмаленного белого халата, ничто не напоминало о профессии Шумана. Все медицинские инструменты Шуман держал в соседней комнате, чтобы раньше времени не пугать пациента.

Его круглое розовое лицо располагало к доверию. Видно было, что доктор и сам не чужд простых радостей жизни.

— У меня серьезная проблема, доктор, — мрачно сказал сержант.

Такое предисловие Шуман слышал по десять раз на день.

— Я и сижу здесь для того, чтобы их решать.

— Можете себе представить, как я много работаю... А тут приехали гости из Пентагона. Надо было их принять. Совещание, потом товарищеский ужин, выпивка в баре... Ну, вы знаете, как все это происходит.

— Не знаю, — покачал головой Шуман. — Я, видите ли, не служил в армии.

— В отеле есть ночной клуб, там было полно хорошеньких девушек, и...

— Вы запомнили ее имя? — деловито прервал его доктор Шуман.

— Чье? — недоуменно переспросил Кларк.

— Женщины, которая наградила вас болезнью.

— А откуда вы знаете? — Восхищенное удивление Кларка было наигранным.

— Догадался. — На сей раз Шуман не смог скрыть свою иронию.

— Вы правильно все поняли, док. Дней через десять я стал ощущать дискомфорт в кончике... Ну, вы понимаете, о чем я говорю.

— Что именно вы чувствовали?

— Писать было больно, словно жгло там, и капала

какая-то желтоватая гадость, — раздраженно сказал Кларк.

Он и по сей день не мог понять, как это с ним, таким крепким и умелым парнем, произошло какое-то форменное безобразие.

— Когда у вас появились эти симптомы?

— Три дня назад.

— Почему же вы сразу не обратились к врачу?

Сержант Кларк посмотрел на Шумана так, словно тот сам был больным.

— Я же не могу идти в наш госпиталь и говорить, что у меня триппер. Но дело не во мне, док. Есть проблема посерьезнее. У меня были... интимные отношения с женой.

— О господи! Зачем?

— Я же не сразу понял, что заразился. Правда, у меня мелькнула мысль, не надеть ли презерватив, но жена всегда принимает противозачаточные пилюли, так что она бы очень удивилась и что-то заподозрила.

— Вам надо было просто отказаться.

— А как я мог? У меня... была эрекция.

— Замечательно.

— Когда я кончил, это было не так болезненно, как писать, но уж тут я испугался и пошел к вам. Я понимаю, что банальный триппер — для вас это слишком просто. Но мне бы не хотелось, чтобы кто-то знал о моей болезни.

Шуман хмуро посмотрел на него.

— Гонорея — серьезная болезнь. Если не вылечиться полностью, то могут быть неизлечимые осложнения.

— Да ладно вам, док, — широко улыбнулся Кларк, — у меня полвзвода во Вьетнаме переболело триппером. Некоторые по два раза успевали. В Сайгоне все девки были больные. Было бы о чем говорить! Три дня глотаешь таблетки и здоров. Мне ребята все рассказывали. Дают антибиотики и еще какой-то препарат, который мешает печени разлагать антибиотик. Надо, чтобы в крови находился достаточно высокий уровень антибиотика, который убивает гонококки.

Доктор Шуман всем своим видом показывал, что ему не нравится легкомыслие американского сержанта.

— Господин Кларк, я должен вас предупредить. Если я берусь лечить пациента, то при одном условии. Пациент должен хотеть вылечиться и неукоснительно исполняет все мои предписания.

Сержант понял свою ошибку и поспешил ее исправить. Он служил в армии двадцать лет и научился ладить с любым офицером.

— Отлично, док. Я человек дисциплинированный, — сказал он с подкупающей улыбкой. — Но меня беспокоит жена, док. Она ни на что не жалуется, но я слышал от ребят, что у женщин гонорея может протекать бессимптомно. Они болеют, но даже не подозревают об этом.

— Да, так бывает, — согласился Шуман.

— Что же делать? Я не могу ей сказать, что она, вероятно, больна и ей надо лечиться. Это убьет наш брак, она немедленно со мной разведется, и я больше никогда не увижу своих детей. А для меня семья — это все!

— Жаль, что вы забыли об этом в ночном клубе.

— Доктор, я даже не помню, как там все это происходило в этом чертовом бардаке. Я был пьян и сейчас эту девку просто бы не узнал.

— Так что вы от меня хотите? Чтобы я сказал вашей жене, что она больна и...

Сержант Кларк стал очень серьезным. На его загорелом веснушчатом лице выступили капли пота.

— Я хочу, док, чтобы вы прописали ей какие-нибудь антибиотики, которые я бы просто подмешал ей в еду. Я берусь сделать так, что она ничего не заметит. Аллергии на антибиотики у нее нет, я точно знаю. Она их много раз принимала. Доктор, это единственное разумное решение. Если вы откажетесь, наш брак рухнет.

Глава западногерманской контрразведки Вилли Кайзер обходился без охраны. Он отпустил водителя возле дома доктора Шумана и сказал, что позвонит в гараж, когда ему понадобится машина. Доктор Шуман сам открыл ему.

— Я отпустил экономку, — объяснил доктор, проводив Вилли Кайзера в гостиную.

Доктор был на полголовы ниже Кайзера и вдвое толще. Скинув пиджак и оставшись в жилете, он широким жестом указал на накрытый стол:

— Садись, поужинаем. А то я два часа хожу мимо стола, измучился.

Он налил себе стопку холодной вишневой водки, и его глаза ожили. Кайзер пил только неразбавленный бурбон со льдом. Доктор ел с аппетитом и рассказывал новости. Он словно не замечал мрачного настроения своего гостя, который хмуро смотрел в полную тарелку. Шуман знал, что Вилли надо дать время расслабиться, размякнуть. Это произошло после четвертой порции бурбона.

Кайзер снял пиджак и галстук. У старого друга Ульриха Шумана он чувствовал себя спокойно и надежно. В квартире было много старой мебели, еще из родительского дома: буфет резного дерева, круглый дубовый стол, массивные кожаные кресла. Ульрих выключил верхний свет и зажег свечи. У него всегда был запас кубинских сигар лучших сортов, которые он по дешевке покупал в Восточном Берлине.

Насытившийся доктор закурил сигару и мечтательно наблюдал за колечками дыма в дрожащем пламени свечи.

— Что мне делать, Ульрих? — вдруг спросил Кайзер.

— Ты болен, Вилли? — забеспокоился Шуман.

— Я здоров, — нетерпеливо отмахнулся Кайзер. — У меня серьезные неприятности. У министра вырос на меня зуб, а канцлеру я никогда не нравился. Они хотят меня убрать. Они только ждут повода, чтобы избавиться от меня.

Кайзер наливался бурбоном, словно это была минеральная вода, но почему-то не пьянел. Шуман свинтил пробку второй бутылки и положил Кайзеру на тарелку холодный ростбиф и ветчину.

— Может быть, ты преувеличиваешь? — спросил Шуман. — У нас у всех бывают неприятности. На то и начальство, чтобы портить настроение.

— Ты-то что в этом понимаешь? — пробормотал Кайзер. — Ты сам себе начальник. Что хочешь, то и делаешь. А я чувствую, как они на меня давят, сволочи, хотят, чтобы я написал прошение об отставке.

Шуман внимательно разглядывал своего друга. Вилли Кайзер с юности склонен к пессимизму, у него были невротические реакции, он легко впадал в тоску. Доктор Шуман всегда принимал во внимание особенности психической конституции своего друга, но Вилли Кайзер давно научился держать себя в руках. Кроме того, Кайзер всегда точно оценивал ситуацию, знал, откуда дуют ветры. Все-таки он был одним из самых осведомленных людей в стране.

— А чего они на тебя взъелись? — спросил Шуман.

— Я для них чужой, — немедленно ответил Кайзер. — Они мирились с моим существованием, потому что я был вынужденным злом. Я улучшал их репутацию в глазах союзников. «Сын участника антифашистского Сопротивления у нас начальник контрразведки» — так они меня представляли на всех международных встречах.

Лицо у Кайзера было мрачное, почти черное.

— Что же изменилось?

— Больше они во мне не нуждаются, — просто ответил Кайзер. — Теперь уже никто не подозревает руководителей Западной Германии в том, что они скрытые нацисты. Они почувствовали себя увереннее и хотят посадить на мое место своего человека, послушного.

Кайзер тоже раскурил сигару.

— Они и сделают это сразу после выборов. Сейчас им скандалы не нужны.

— Может быть, тебе уйти самому? — предположил Шуман. — Черт с ними со всеми!

— А что я буду делать? — мрачно сказал Кайзер.

— Займешься адвокатской практикой, откроешь свою контору, — заулыбался Шуман. — Зарабатывать будешь значительно лучше, чем на своей высокой должности.

Кайзер, сосредоточенно пыхтевший сигарой, покачал головой:

— Это занятие не по мне.

Он вдруг разозлился, залпом допил стакан и жестко сказал:

— И вообще, я не намерен облегчать им жизнь. Я буду сражаться до конца! Они еще пожалеют, что связались со мной. Я такое о них знаю, что никому и не снилось.

Ульрих Шуман стоял на своем. Он уже перешел на ликеры, тянул что-то вкусное из маленькой рюмочки и вяло повторял:

— Мне все равно кажется, что незачем тебе тратить силы на борьбу с ними. Лучше заранее поищи запасной аэродром и уходи сам. Сейчас тебе везде будут рады. Не хочешь заниматься адвокатской практикой, иди в банк. Да тебе будут рады в наблюдательном совете любой корпорации.

Хорошая еда неизменно приводила Шумана в благодушное состояние.

— Давай выпьем еще по рюмочке и пошлем их всех к черту.

Но Вилли Кайзеру выпитое только прибавило упрямства. Он и слушать не хотел старого друга.

— Нет, и еще раз нет, и перестань спорить, Ульрих, — решительно заявил Кайзер. — Все. Больше об этом говорить не будем.

Несколько минут они молчали. Вилли Кайзер неуверенно встал и посмотрел на часы.

— Вообще-то мне пора ехать, — сказал он. — Где у тебя телефон? Я вызову машину.

Ульрих Шуман, доедавший большой кусок шоколадного торта, укоризненно посмотрел на Кайзера:

— Оставайся у меня. Я попросил постелить тебе в гостевой комнате. У меня спокойнее, чем в гостинице. Завтра воскресенье, выспишься. Потом позавтракаем, еще поговорим.

Кайзер согласно кивнул. Он неуверенно стоял на ногах, и тащиться в гостиницу ему было неохота. Ульрих, аккуратно поддерживая друга, проводил его на второй этаж в комнату с большими окнами. Постель была разобрана, на спинке стула лежал халат.

Кайзер похлопал его по плечу.

— Хороший ты парень, Ульрих. Таких друзей, как ты, у меня уже не осталось.

Ульрих Шуман спустился вниз, меланхолически посмотрел на стол с остатками ужина, подумал, не съесть ли еще кусок шоколадного торта, но сумел остановить себя. Он, конечно, съел меньше, чем хотел, но явно больше, чем следовало при его избыточном весе.

Он пошел в ванную умыться на сон грядущий, почистил зубы, потом вернулся в комнату, но раздеваться не стал. Он ждал телефонного звонка, читал газеты, пил минеральную воду. Ему позвонили ровно в два часа ночи. Он снял трубку и, не дослушав, сразу же ее положил.

Через три минуты Ульрих Шуман вышел на улицу. На перекрестке его ждала машина с двумя пассажирами. Номера были заляпаны грязью. Один из пассажиров предусмотрительно распахнул перед Ульрихом дверцу. Доктор Шуман сел в машину, но они никуда не поехали. Разговор в машине продолжался полчаса. После этого Шуман быстрым шагом отправился домой. Сон с него как рукой сняло. В своей комнате на втором этаже он разделся и лег, но заснул, когда уже рассвело.

Вилли Кайзер, который поспал как следует, встал первым, умылся, сам приготовил себе кофе и только после этого растолкал Ульриха. Утро было тяжелым для них обоих. Кайзер выпил три чашки черного, без сахара кофе и безостановочно курил. Шуман с удовольствием позавтракал остатками вчерашнего ужина.

— Дать тебе таблетку? — предложил он, сочувственно глядя на Кайзера. — Похмелье — болезнь серьезная.

Кайзер отказался. Он сидел в пиджаке, но без галстука, с расстегнутым воротом рубашки. Он собирался сразу же утром улететь домой. Но Ульрих Шуман предложил ему не торопиться:

— Побудь у меня, отдохни. Здесь к тебе никто не станет приставать с разными глупостями.

Кайзер вяло согласился. Он с полчаса посидел в гостиной с газетой в руках, потом прилег на диван и заснул. Ульрих тоже подремал. К обеду они оба приободрились. Новая бутылка бурбона появилась на столе, и Кайзер ожил. После третьей порции Шуман сказал, что хочет серьезно поговорить со старым другом.

— Послушай, Вилли, я всю ночь думал над тем, что ты мне рассказал. Я очень переживаю из-за того, что ты оказался в такой ситуации. В общем, ты прав, они не дадут тебе спокойно жить и работать. Что-то надо решать.

Ульрих говорил все это без обычной улыбочки. Он смотрел Вилли Кайзеру прямо в глаза.

— Я скажу тебе сейчас одну важную вещь. Только не спеши с ответом, не торопись говорить «нет».

Вилли Кайзер с некоторым удивлением посмотрел на своего старого приятеля и приготовился слушать.

— Вилли, ты никогда не думал о том, что есть место, где тебе всегда были бы рады?

— Ты имеешь в виду хороший публичный дом? — мрачно пошутил Кайзер.

Ульрих Шуман сделал вид, что не обратил внимания на неудачную шутку Кайзера.

— Вилли, ты не считаешь, что тебе следует поговорить с людьми из Восточной Германии? Или даже с русскими?

Кайзер резким движением руки отодвинул от себя чашку. Кофе выплеснулся, и большое коричневое пятно расползлось по белой скатерти. Шуман страдальчески скосил глаза на безнадежно испорченную скатерть. Вилли Кайзер выскочил из-за стола и закричал:

— Ты с ума сошел, Ульрих! Что ты несешь? Я для этих людей враг номер один. И они мои враги. Я же начальник контрразведки Федеративной Республики и занимаюсь тем, что пытаюсь выловить советских и восточногерманских шпионов. О чем мне с ними говорить: упростите мою жизнь, перестаньте засылать своих людей?

— Вилли, я ничего не понимаю в твоих делах, — прервал его доктор Шуман. — Но подумай о другом. Если ты сумеешь чего-то добиться в переговорах с русскими или с восточными немцами, твои позиции укрепятся. Какой-то личный успех тебе сейчас не повредит.

— Ты несешь чепуху, — остановил его Вилли Кайзер. — Я больше ничего не хочу об этом слышать. Я не желаю иметь дело с коммунистами.

— Ну, смотри, Вилли, — Ульрих сбавил тон. — Я всего лишь врач и в вашей политике ничего не смыслю. Давай-ка еще выпьем... Хотя ты же понимаешь, что в Восточной Германии они не только коммунисты, но и просто немцы. Все они врут про свою любовь к коммунизму. Они просто пруссаки, если хочешь знать мое мнение.

Шуман знал, что Кайзер упрям и давить на него бессмысленно, поэтому доктор не без удовольствия вернулся к шоколадному торту. Это было достойным вознаграждением за все волнения и переживания. Вилли Кайзер подцепил ложкой несколько кубиков льда и щедро плеснул себе бурбона. Он пил третий день подряд, и теперь ему хватило сравнительно небольшой дозы, чтобы войти в привычное уже состояние легкости и полной свободы.

Кайзер со стаканом в руках несколько раз прошелся по комнате, рассеянно посмотрел в окно. Потом подсел к Ульриху.

— А ты кого-то знаешь в Восточном Берлине?

— Конечно, — ответил Ульрих, — я знаю несколько врачей из ГДР. Это очень достойные люди, они занимают у себя высокое положение, влиятельны и разумны. Кстати, вот их точно коммунистами никак не назовешь. Для них Германия значит не меньше, чем для нас тобой. Здесь в Берлине мне, например, очевидно, что в Восточной Германии немецких патриотов не меньше, чем в Федеративной Республике. Кроме того, я знаю двух или трех русских. Они журналисты, но серьезные и вполне приличные люди.

Вилли Кайзер опять погрузился в свои мысли.

— Может, ты и прав, — рассеянно сказал он. — Во всяком случае, терять мне нечего.

— Вилли, — осторожно заметил доктор Шуман, — ты же знаешь, я все готов для тебя сделать. Если бы тебе была нужна медицинская помощь, я бы все сделал сам. Но твой недуг медицина не лечит.

— И ты мог бы устроить такую встречу? — нерешительно спросил Кайзер.

— Нет ничего проще, — облегченно вздохнул Ульрих Шуман. — Они могут приехать сюда, или я тебя отвезу в Восточный Берлин. Когда ты там был в последний раз?

— Еще при Адольфе, — усмехнулся Кайзер. — Но мне нельзя ездить в Восточный Берлин, ты же понимаешь.

Настала очередь Ульриха Шумана демонстрировать свое превосходство.

— Вилли, для меня это не проблема. Я живу в Берлине всю жизнь и знаю здесь все ходы и выходы.

В восемь вечера машина доктора Шумана подъехала к контрольно-пропускному пункту между Западным и Восточным Берлином. На машине Шумана стояли номера, которыми пользовалась американская комендатура.

Охрану контрольно-пропускного пункта несли американские солдаты. Старшим был широкоплечий сержант Питер Кларк, которого доктор Шуман успешно лечил от дурной болезни.

Сержант внимательно посмотрел на доктора Шумана и приказал пропустить машину. На другой стороне контрольно-пропускного пункта хмурый служащий пограничной полиции Германской Демократической Республики внимательно изучил документ, который показал Шуман, и тоже не проявил никакого интереса к его пассажиру.

Вилли Кларк с изумлением посмотрел на доктора Шумана.

— Как тебе все это удается? И ты не боишься? Это же подсудное дело — ездить с фальшивыми номерами.

— Вилли, эти номера не фальшивые. Ты же знаешь, врачи нужны всем и всегда, — философски заметил Ульрих Шуман. — Услуга за услугу.

— Ты занимаешься не своим делом, — фальшиво засмеялся Вилли Кайзер, — переходи ко мне в контрразведку.

— Потеряю квалификацию, — в тон ему ответил Шуман. — Врачу нужна постоянная практика.

— Будешь перевязывать раненых агентов, — предложил Кайзер.

— А что, и такое случается? — удивился доктор.

— Нет, — опять засмеялся Кайзер.

Он смеялся чаще обычного, скрывая свою неуверенность и смущение.

Ульрих Шуман уверенно вел машину по восточной части Берлина, которая была столицей ГДР. Кайзер с интересом разглядывал социалистический город. Он нашел Восточный Берлин чистым, но скучноватым.

Ульрих Шуман подвез его к какому-то многоэтажному дому.

— Здесь живет мой хороший знакомый, — пояснил он. — Врач, но сейчас избран в Народную палату, депутат и пользуется большим влиянием.

Консьержки в подъезде не было. На старом скрипучем лифте они поднялись на шестой этаж. Дверь открыли сразу же, едва Ульрих Шуман нажал кнопку звонка.

В дверях стоял симпатичный седовласый человек в светлом костюме. Он широко улыбнулся и сделал приглашающий жест.

— Дорогой Ульрих, страшно рад вас видеть! — сказал он.

— Заходите.

Шуман представил Вилли Кайзера:

— Это мой старый школьный друг.

Кайзер был одарен столь же широкой улыбкой.

— Меня зовут Клаус Штайнбах, — представился седовласый.

— Когда-то с Ульрихом мы были вместе в ординатуре. Счастливые времена, но как все быстро пролетело.

Квартира с высокими потолками и блеклыми обоями показалась Кайзеру старомодной и необжитой.

— Прошу к столу, — пригласил Клаус, — у наших русских друзей мы научились тому, что все разговоры надо вести за едой и хорошей выпивкой.

В большой комнате, увешанной старинными картинами, был накрыт гигантский круглый стол. Чревоугодник Шуман радостно потер руки. Такие деликатесы даже он не мог себе позволить: икра черная и красная, лососина, севрюга, копченый угорь, окорок, колбасы, свежие овощи, маринованные белые грибы.

Вилли Кайзер обратил внимание на батарею бутылок. Там был его любимый бурбон, но некоторые этикетки он видел впервые.

Клаус Штайнбах выбрал украшенную медалями бутылку:

— Это армянский коньяк двадцатилетней выдержки. Я вам крайне советую его попробовать.

Он широким жестом разлил коньяк по рюмкам.

— Может быть, и не все, что нам принесли русские, прекрасно, — пошутил Клаус, — но армянский коньяк это, вероятно, лучшее, что у них есть.

Вилли Кайзер оценил смелость этой шутки, которая обычному гражданину ГДР могла стоить карьеры. Армянский коньяк понравился Кайзеру, и он охотно позволил вторично наполнить свою рюмку.

Более веселого вечера Кайзер не мог припомнить. Клаус Штайнбах был очаровательным собеседником, рассказывал безумно смешные истории из своей медицинской практики. Если в настоящее время он уже и не занимался медициной, как верно предположил Кайзер, то раньше он действительно был врачом.

При этом Клаус следил за тем, чтобы ни рюмки, ни тарелки гостей не пустовали. Ульрих Шуман охотно ел, но почти ничего не пил. Ему еще предстояло вести машину. Он только перепробовал несколько марок грузинских вин. Клаус откупоривал для него одну бутылку за другой, просил отведать.

Время от времени Шуман незаметно поглядывал на часы. Вдруг вскочил с места:

— Друзья, простите меня, но я должен вас ненадолго покинуть.

— Куда ты? — удивленно спросил Вилли Кайзер. — А как же я?

— Не беспокойся, я вернусь за тобой, — обещал Шуман, надевая пиджак, — мне нужно уехать примерно на час. Потом я доставлю тебя назад.

Ульрих Шуман вышел из квартиры, но никуда не уехал. На лестничной площадке его ждали два человека, которых он давно знал.

— Ну как? — спросили они.

Шуман пожал плечами:

— Честно говоря, не знаю. Он уже сильно пьян. Если переберет, то просто отключится.

Шумана провели в соседнюю квартиру, где ему предстояло ждать, пока не закончится разговор с Вилли Кайзером. Эта была совершенно пустая, почти без мебели квартира. Шумана посадили в дряхлое кресло и предложили вчерашний номер газеты «Нойес Дойчланд». Доктор с сожалением подумал об оставленном в соседней квартире столе и уткнулся в передовицу, посвященную приближающемуся партийному съезду.

А руководитель Федерального ведомства по охране конституции чувствовал себя, как дома, и причиной тому был не только армянский коньяк двадцатилетней выдержки. Давно уже Вилли Кайзер не слышал столько комплиментов в свой адрес.

Когда Шуман ушел, к Штайнбаху заявились двое сравнительно молодых людей, которые тоже оказались замечательными собеседниками. Но в отличие от Клауса они, конечно же, не были немцами, хотя свободно говорили по-немецки.

Кайзер сразу понял, что перед ним русские, причем его коллеги, то есть сотрудники представительства КГБ в Восточной Германии. А Клаус Штайнбах — если это его настоящее имя, вероятно, служит в восточногерманском Министерстве государственной безопасности.

Ни русские, ни восточные немцы не решились бы беседовать с ним, не поставив в известность партнеров. Кайзеру было известно, что советский КГБ и восточногерманское Министерство госбезопасности ревниво относились к успехам друг друга.

Эти люди профессионалы, они были прекрасно осведомлены о Кайзере и высоко ценили его способности, издевались над неумехой министром, которому Кайзер по воле дурака канцлера вынужден был подчиняться.

— Вам бы и быть министром, Вилли, — говорил один из них, который сразу же снял пиджак и галстук и стал посмеиваться над собственным начальством.

Русские и Клаус Штайнбах поразили Кайзера тем, что свободно ругали свое начальство и дурацкие порядки в стране. Кайзер и не подозревал, что в ГДР и в России это возможно. Он полагал, что инакомыслие в советском блоке исключено.

— Нет, нет, — сказал Клаус Штайнбах, — у меня есть идея получше. Вилли надо у нас быть министром, а еще лучше — министром единой демократической Германии.

— Я готов работать у такого министра, — немедленно отреагировал третий, который пил с Кайзером наравне и из бледного горожанина быстро превратился в краснокожего обитателя прерий.

— Хорошая мысль, — согласился Кайзер.

Приятно, черт побери, быть среди людей, способных оценить тебя по достоинству.

— Политики приходят и уходят, — говорил Клаус Штайнбах, который совершенно не пьянел. — Сейчас у вас одна система, у нас другая. Не это главное. Главное — это то, что мы с вами немцы. И мы должны думать о Германии. Не отдельно о Восточной и Западной, а о единой Германии.

Вилли Кайзер быстро научился произносить тосты, и со всеми присутствующими по очереди выпил на брудершафт. Эти три рюмки были уже лишними, но ни сам Кайзер, ни его гостеприимные хозяева не сразу это поняли.

— Так что, Вилли, — громко и четко спросил Клаус Штайнбах, — ты готов нам помочь в борьбе за единую Германию?

— Конечно, — немедленно подтвердил Вилли Кайзер. Он никак не мог подцепить ломтик лимона.

Эти замечательные люди ему так понравились, что он был готов на все.

— Да я вообще лучше у вас останусь, — предложил Кайзер. — Не хочу возвращаться к этим идиотам. Они мне надоели.

Хозяева переглянулись.

— Выпьем за Вилли, — провозгласил Клаус.

Это была последняя рюмка, которую в тот вечер осушил Кайзер. Он настолько осовел, что перестал что-либо воспринимать.

— Перестарались, — горестно констатировал Клаус Штайнбах, когда убедился, что Вилли Кайзер уже ничего не понимает. Глаза его закрылись, и он бы сполз со стула, если бы его не поддержали.

— А мне говорили, что он может выпить значительно больше, — удивился подполковник Штайнбах и как-то брезгливо посмотрел на руководителя западногерманской контрразведки. Надевая пиджак, спросил у русских офицеров: — Что будем делать?

Теперь Штайнбах уже не производил впечатление хорошо выпившего человека.

— Он подтвердил, что желает у нас остаться. Его слова записаны. Считаю, что наша задача выполнена, — твердо сказал подполковник Маслов.

Его вновь перевели в представительство КГБ в ГДР. Теперь он получил повышение и руководил разведывательным отделом.

— Сейчас доложим руководству, — добавил Маслов. — Для того начальство и существует, чтобы решать.

Штайнбах чуть заметно пожал плечами и пошел умыться. Свою миссию он выполнил, хотя и без особого удовольствия. В министерстве у него была слава одного из лучших вербовщиков. Раньше он гордился способностью приобретать для своего молодого государства все новых друзей и помощников. Но в последнее время завербованные им люди вызывали у него, скорее, презрение. Разве платные агенты заслуживают уважения?

Будущий подполковник госбезопасности Клаус Штайнбах попал в спецлагерь МВД СССР в день своего рождения. Ему как раз исполнилось восемнадцать лет. Его отец погиб в первые дни Польской кампании — в сентябре тридцать девятого. «Пал в бою за фюрера и отечество», — говорилось в извещении.

Клаус не плакал. Сжав зубы, он готовился стать солдатом. Сначала был руководителем отряда в юнгфольке, затем фюрером в гитлерюгенде. Он плавал, как рыба, бегал быстрее всех в школе, стрелял в тире. После девятого класса его призвали для несения вспомогательной службы в зенитных войсках. «Без отрыва от учебы», — говорилось в приказе, но к учебе Клаус вернулся уже только в советском плену.

Едва они научились стрелять из зениток, как их батарею накрыли американские бомбардировщики. После прицельного бомбометания в батарее не осталось ни одного целого орудия.

Половина школьников погибла. Оставшихся в живых отправили домой, но к домашней жизни Клаус вернуться не смог. Он просто не нашел своего дома, снесенного с лица земли бомбардировщиками союзников. Озлобившийся и несчастный, он явился на призывной пункт добровольцем. Но шестнадцатилетних в армию не брали.

Он отправился в Берлин, чтобы попросить помощи у фюрера. Он попал в столицу Великогерманского рейха в марте сорок пятого, когда все бежали из города на Запад, спасаясь от Красной Армии.

Теперь его уже не спрашивали, сколько ему лет. Здесь были рады добровольцам. Клауса учили стрелять из фаустпатрона по танкам. С оружием в руках он чувствовал себя счастливым. Теперь он знал, что ему следует делать. Все в жизни стало просто и ясно.

Настоящие советские танки он увидел неподалеку от разрушенного здания рейхсканцелярии. Стоя за углом дома, он старательно прицелился и выстрелил из фаустпатрона.

Но так и не узнал, попал в танк или нет.

Разорвавшийся рядом снаряд, выпущенный из танковой пушки, отбросил его в сторону. Он здорово стукнулся головой о стену и потерял сознание. Когда пришел в себя, рядом стоял русский солдат с автоматом в руках и равнодушно смотрел на него.

Клаус пошевелился, и русский передернул затвор.

— Вставай, сука, или пристрелю, — сказал солдат.

Клаус еще не знал русского языка, но хорошо понял выражение лица автоматчика. На сборном пункте пленных на скорую руку допрашивал молоденький переводчик. Он что-то диктовал ленивому писарю — война кончалась, пленных было слишком много, и ничего особо интересного сказать они не могли.

Возможно, Клауса по причине его возраста отпустили бы сразу после капитуляции вермахта. Но юный упрямец желал быть героем до конца. На вопросы переводчика он отвечать отказался и, вытянув руку вперед, закричал: «Хайль Гитлер!»

Такого хамства юный переводчик, еще не сносивший первой пары сапог, не вынес. Клаус получил оплеуху и потерял два передних зуба и свободу. Через несколько месяцев его отправили в Сибирь, как «активного члена фашистской молодежной организации».

Когда эшелон остановился, Клаус сам идти не мог. У него было крупозное воспаление легких. Альфред Фохт, врач-танкист, помог Клаусу — с трудом дотащил его до барака. Лекарств в распоряжении Фохта не было, но он как мог лечил юношу, и Клаус выкарабкался.

А еще через два месяца Клаус подхватил сыпной тиф. Со вшами в лагере боролись, но безуспешно. Два дня у него была высокая температура, бросало то в жар, то в холод, есть не хотелось. У входа в столовую Клаус потерял сознание и упал. Увидев на теле характерную сыпь, врач спецлагеря МВД СССР забеспокоился.

Тифа в лагере боялись как огня. Каждый день спецконтингент осматривали на предмет заразившихся. Всех больных спешно изолировали, но начальник санитарной службы спецлагеря, глянув на Клауса, ошибочно решил, что истощенный парень не жилец.

Но Клаусу повезло. Молоденькая военврач прониклась непозволительной симпатией к юному немцу. Она только начинала свою службу, в лагерь попала впервые, и человеческие чувства ее еще не покинули. Она нашла лекарства для Клауса и выходила его.

Она добилась от начальника лагеря, который ни в чем не отказывал молодым женщинам, покупки пяти коров для больных. Каждый день Клаусу наливали полстакана молока, и он потихоньку выздоравливал.

Лагерь был обнесен колючей проволокой в два ряда. Запретная зона вокруг лагеря тоже была обнесена проволокой. Лагерная электростанция работала с перебоями. Воду подвозили в бочках. В бараках нары сколотили в три ряда. Кормили всякой дрянью. Однажды пленные обнаружили в суповом котле сварившуюся мышь. Но суп выливать не стали. Отказались от своей порции только самые впечатлительные.

Первые месяцы Клаус думал о побеге. Контрольная полоса находилась в запущенном состоянии, заросла травой. Обыски в бараках не устраивались, только небрежно проверяли бригады, возвращавшиеся с работы. К тому же пленные работали на подсобном хозяйстве, охраняемые всего тремя вахтерами.

— Бежать можно, — говорил ему Фохт. — Но куда убежишь из Сибири, да и зачем?

Выздоравливая, Клаус стал много читать. Фохт приносил ему из культурно-воспитательной части газеты и книги. Литературу в лагерь привозили в большом количестве — пропагандистские издания для военнопленных. Вскоре в лагере появились пропагандисты из компартии Германии, они создали школу антифашистского актива.

Многие вступали в нее ради более высокой нормы питания. Клаус ходил на занятия для того, чтобы понять, что ему делать, раз уж война закончилась.

Он стал коммунистом не только потому, что его спасла врач из Красной армии. Оставшись один на земле, он искал убежище, приют и нашел его в коммунистической партии, в этой всемирной общности единомышленников, в универсальной идеологии, обещавшей решить все мировые проблемы.

Когда лагерь закрыли, Штайнбаха привезли в Восточную Германию. Преподаватели из школы антифашистского актива дали юноше рекомендации для вступления в партию. Фохт помог ему поступить в медицинский институт. Клаус не успел доучиться — его зачислили в Министерство государственной безопасности. Он был счастлив. Ему казалось, что уже виден край земли обетованной. Но годы службы в Министерстве госбезопасности стали временем избавления от иллюзий.

Подполковник Маслов вышел в соседнюю комнату и по телефону специальной связи, установленному здесь накануне, позвонил в представительство КГБ в ГДР в Карлсхорсте.

Операцией по вербовке Кайзера руководил полковник Федоровский, который прилетел в Берлин специально ради этой операции. Он был вне себя.

— Зачем вы его напоили? Что теперь с ним делать?

— Надо немедленно отправлять его назад в Западный Берлин, пока его не начали искать, — хладнокровно ответил Маслов. — Шуман здесь и ждет.

— Кайзер дал согласие работать с нами?

— Нет. Но он сказал, что желает остаться в ГДР...

— Пьяный разговор к делу не пришьешь.

— У нас есть магнитофонная запись всех его разговоров. Мы теперь можем держать его в руках, — с энтузиазмом сказал Маслов. — Никуда он не денется. Он будет на нас работать. Если мы предадим гласности его слова...

— ...то канцлер его сразу уволит, — закончил фразу полковник Федоровский. — Зачем нам это надо? Его дни в контрразведке так и так уже сочтены. Что мы выиграем? И еще разгорится страшный скандал из-за того, что мы тайно привозим людей из Западного Берлина.

— Устроить такой скандал в Федеративной Республике — тоже неплохо, Игорь Мокеевич.

— Не говорите о том, чего не понимаете, — рявкнул Федоровский. — Он действительно сказал, что готов остаться в ГДР?

— Да, он несколько раз это повторил, — подтвердил Маслов.

— Ладно, ждите, — приказал Федоровский, — буду докладывать руководству.

Он поднялся в кабинет главы представительства КГБ, снял трубку ВЧ — аппарата междугородной правительственной связи, попросил соединить его с Москвой и назвал номер генерала Калганова.

— Завтра утром я сам проведу с ним беседу, — сказал Федоровский. — Кайзер, конечно, потребует, чтобы его немедленно отправили назад. Но я ему объясню, что он никогда не сможет объяснить западникам, что он у нас здесь делал. У него есть один выход — остаться в Берлине и сделать вид, что он сознательно перешел в Германскую Демократическую Республику.

Через полчаса Федоровского вновь соединили с генералом Калгановым. Москва согласилась с предложением оставить Вилли Кайзера в ГДР и использовать его в чисто политических целях.

— Только согласуйте все с генералом Вольфом, — приказал генерал Калганов. — Если он согласен с нашими предложениями, то несколько дней подержите Кайзера у себя. Когда он расскажет все интересное, передайте его немцам. Дальше с ним будут работать только сами немцы.

Начальник главного управления разведки Министерства госбезопасности ГДР генерал Маркус Вольф принял полковника Федоровского незамедлительно. Федоровский пересказал ему, как шла беседа с Вилли Кайзером, и сообщил мнение Москвы.

— Утром, когда он проснется, — добавил Федоровский, — мы поговорим с ним. Он человек умный, поймет свое положение. В создавшихся условиях ему разумнее остаться у вас, чем скандалить и требовать, чтобы его отправили на Запад. Там ему точно конец, а у вас он сможет начать новую жизнь. Я сам проведу с ним беседу.

— Давайте подумаем, — сказал генерал Вольф. — Можно его отвезти назад, потом вновь устроить встречу и попытаться дожать, чтобы он согласился на нас работать. Есть другой вариант. Можно оставить его у нас и использовать в пропагандистской работе. Что лучше? Для разведки лучше иметь Кайзера в качестве агента. Но если не сегодня завтра его уберут из Федерального ведомства по охране конституции, то его ценность сильно упадет. А заявление Кайзера против политики Западной Германии накануне парламентских выборов будет сильнейшим ударом по правящим кругам в Бонне. Так?

Федоровский кивнул.

— Выходит, мнение Москвы самое разумное, — заметил генерал Вольф. — Но я должен доложить ЦК о нашей с вами идее. Вы будете у себя в Карлсхорсте? Я перезвоню вам.

Вольф попросил соединить его с министром. Но высокомерный адъютант ответил, что министр государственной безопасности уже спит и просил будить его только в случае начала войны. Адъютант знал, что министр не любил своего начальника разведки, и исходил из того, что ничем не рискует, если не станет беспокоить своего шефа.

Генерал Вольф был взбешен, но виду не показал. Подумав немного, он попытался позвонить генеральному секретарю ЦК партии. Генеральный секретарь, в отличие от министра, любил и поддерживал начальника разведки, но, как назло, в тот вечер чувствовал себя очень плохо. Ему сделали укол, и врачи умоляли его не беспокоить.

Дежурный помощник генерального секретаря, старый член партии, сочувственно сказал Вольфу:

— Решайте, генерал. Я знаю, что у вас не бывает мелких дел, и готов соединить вас с генеральным секретарем.

— Соедините, — решился Вольф.

Пока Москва и Берлин решали его судьбу, Вилли Кайзер храпел на кожаном диване в маленькой комнате возле кухни. С него заботливо сняли пиджак и галстук, но раздеть не решились.

Возле окна на стуле сидел хорошо отдохнувший молодой лейтенант госбезопасности. Ему предстояла бессонная ночь. Он должен был охранять покой начальника западногерманской контрразведки, а заодно следить за тем, чтобы Вилли Кайзер не выкинул какой-нибудь глупости. Поэтому лейтенанта и посадили у окна — все-таки шестой этаж, а мало ли что может прийти неуравновешенному человеку в голову с тяжелого похмелья.

Все квартиры на этом этаже принадлежали Министерству государственной безопасности и были переданы для оперативных нужд советским товарищам. В соседней квартире собралось несколько советских офицеров. Самая трудная беседа предстояла утром, когда Кайзер проснется.

В качестве убедительного аргумента, учитывая вкусы Вилли Кайзера, из запасов командующего Группой советских войск в Германии привезли ящик армянского коньяка.

Доктору Шуману сказали, чтобы он один отправлялся в Западный Берлин.

Ульрих Шуман был в ужасе.

— Что вы со мной делаете? Я должен обязательно вернуть его назад. Завтра его начнут искать. Они же быстро узнают, что он был у меня. Это катастрофа!

Офицеры из Министерства госбезопасности ГДР с презрением смотрели на Шумана. Когда им надоели эти причитания, старший из них громко приказал двум молодым оперативникам:

— Уберите этого гомика.

Шуман вздрогнул и замолчал.

Восточногерманская разведка завербовала доктора после того, как полиция задержала его ночью вместе с молодым человеком в недвусмысленной позе.

Тогда еще не было стены и легко можно было перейти из Западного Берлина в Восточный. Шуман ездил в столицу ГДР за дешевой едой и знакомился с симпатичными людьми нетрадиционной сексуальной ориентации, которые нуждались в западных марках.

Всю ночь Шуман провел в отделении народной полиции, а утром во время допроса согласился на все, лишь бы избежать суда и позора. Его тихо отпустили, и после этого Ульрих Шуман стал платным агентом восточногерманской разведки. Он давно работал на ГДР, но никогда еще с ним не разговаривали так грубо и презрительно.

Ульрих сел за руль своей машины и тронулся с места. Он вел машину по ночному Берлину, притормаживая на перекрестках и сворачивая в нужных местах, но смотрел на дорогу невидящими глазами.

Шуман вспоминал большой крестьянский дом, в котором он вырос. Зима была лучшим временем года, потому что отец брал его с собой в лес. Когда отец уходил один, в доме появлялись разные мужчины. Они сидели на кухне с его мамой. Она наливала им водки и делала большие бутерброды с ветчиной и салом. Мама совершенно преображалась. Она крутилась между мужчинами, а они похлопывали ее пониже пояса и при этом хохотали, глядя на ребенка.

— Ты бы лучше погулял, — обыкновенно говорила ему мама, раскрасневшаяся от водки и мужского внимания.

Ульрих убегал в лес и плакал. Он был достаточно взрослым, чтобы понять, чем занималась его мама с этими мужчинами. Он возненавидел мать за то, что она предала его, и перенес эту ненависть на всех женщин в мире.

Впервые он почувствовал себя счастливым, когда в послевоенном голодном Берлине пожилой главный врач его клиники пригласил Шумана к себе домой на ужин. Главный врач был внимателен и заботлив. Шуман истосковался по добрым чувствам. Он с восхищением смотрел на своего главного врача.

После ужина они выпили немного водки и настоящего кофе, а после этого главный врач, высокий, статный мужчина, начал его целовать. Врач раздел Ульриха, увел к себе в комнату и уложил в постель. Наконец Шуман понял, что значит любить самому и быть любимым и желанным. Впервые в жизни он был счастлив.

Они были любовниками несколько лет, но главный врач рано умер, и, потомившись около месяца, Шуман стал искать себе нового партнера. Он отвык спать один.

Но встретить по-настоящему близкого человека ему так и не удалось. Одна такая попытка найти в Восточном Берлине партнера на ночь закончилась для него арестом и допросом в отделении народной полиции.

Шуман заплакал. Слезы катились по его полному лицу, а он их даже не замечал.

Улицы Восточного Берлина были совершенно пустыми, но когда Шуман уже подъезжал к зональной границе, появились первые фургоны со свежим хлебом.

Молодой водитель хлебного фургона старательно разворачивался, чтобы поудобнее подъехать к магазину для разгрузки. Он даже не смотрел по сторонам, полагая, что если и появится еще какая-нибудь машина, так ведь не трамвай же, объедет.

Но заплаканный, униженный Ульрих Шуман слишком поздно увидел фургон и не успел ни нажать на тормоза, ни свернуть.

В понедельник в Федеральном ведомстве по охране конституции в Кельне поползли странные слухи насчет того, что Вилли Кайзер куда-то пропал. Во вторник в ведомство приехали какие-то важные люди из Бонна и, обосновавшись в кабинете Кайзера, стали по очереди вызывать туда всех его заместителей и помощников.

А в четверг все стало ясно. Радио Восточного Берлина передало, что бывший руководитель западногерманской контрразведки, известный антифашист Вилли Кайзер перешел в социалистическую ГДР, чтобы отдать все силы созданию единой демократической Германии.

Письменное заявление Вилли Кайзера было опубликовано в газетах. Он писал, что в западной части Германии идет процесс милитаризации, что бывшие нацисты занимают важные посты в ФРГ, что Западная Германия вместе с Соединенными Штатами готовится к третьей мировой войне.

Через две недели Вилли Кайзер выступил на большой пресс-конференции в Восточном Берлине. Он сказал, что прибыл в ГДР ради того, чтобы бороться за воссоединение Германии. Он свободно отвечал на вопросы иностранных корреспондентов и обличал Западную Германию.

Это был огромный подарок для ГДР. На сторону социалистического государства перешел не какой-то мелкий чиновник, а политик почти что в ранге министра, с именем, с авторитетом.

Вилли Кайзера принимали в ГДР как высокого гостя, ему показывали, как растет и хорошеет первое на немецкой земле государство рабочих и крестьян. Его путешествие по Берлину снимали операторы кинохроники.

Пресс-служба канцлера ФРГ заявила, что Вилли Кайзера заманили в ловушку агенты Восточной Германии, опоили наркотиками и в бессознательном состоянии из Западного Берлина вывезли в ГДР. В ловушку Кайзера заманил некий берлинский врач Ульрих Шуман, которого потом уничтожили, неумело инсценировав автомобильную катастрофу.

Новый руководитель западногерманской контрразведки сменил весь свой личный секретариат. Начальники основных отделов были заменены. Тех, кто дружил с бежавшим начальником, переместили на менее важные посты. Более молодые люди, не связанные личными отношениями с Вилли Кайзером, начали восхождение по служебной лестнице.

Кристи, Кристина фон Хассель, тоже получила повышение. Поздно вечером, сидя дома, она включила радиоприемник и на условленной волне услышала зашифрованное поздравление от своего любимого Конни. Поздравление и обещание скорой встречи.

ГЛАВА ЧЕТВЕРТАЯ

Секретное совещание в Министерстве обороны ФРГ затянулось. Эта была рутинная еженедельная встреча, в которой всегда участвовали представители Федерального ведомства по охране конституции.

Кристина фон Хассель присутствовала на совещании впервые. Оборонные проблемы — не ее специальность. Но она поехала в Бонн вместе со своим новым начальником Хайнцем Риттгеном на беседу в Министерство внутренних дел, а потом он взял Кристи с собой и в Министерство обороны.

Обсуждались проблемы химического оружия. Начальник химических войск бундесвера докладывал о создании новых видов противогазов и других средств противохимической защиты для боевых действий в условиях сильных морозов.

Риттген был в хорошем настроении и вполголоса спросил сидевшего рядом военного:

— А мы что, собираемся воевать на Северном полюсе?

Генерал хмыкнул и, нагнувшись к уху Риттгена, зашептал:

— Это не наша идея, американская. Они получили информацию из Восточной Германии о новом химическом оружии. Его можно применять при минусовой температуре. Русские разрабатывают план нападения в Арктике на американские посты...

Тут он заговорил настолько тихо, что остальное Кристи не расслышала. Спросить Риттгена о том, что еще интересного поведал ему бундесверовский генерал, было невозможно. Немотивированное любопытство стоило бы Кристине фон Хассель карьеры. Но и услышанного было достаточно, чтобы порадовать друзей в Восточном Берлине.

Все, что она делала, она делала ради Конни.

Солнечным майским днем профессор Фохт упаковал чемодан, повесил его на руль велосипеда и поехал к станции пригородной железной дороги, чтобы добраться в Берлин. У профессора было плохое предчувствие. Он вновь обратил внимание на приметный в Восточной Германии черный «мерседес», который уже несколько раз попадался ему на глаза.

Профессор очень удивился, что в Чехословакию посылают именно его, но заместитель министра здравоохранения ГДР сам приехал в институт и сказал ему, что он должен ехать.

В поезде Альфред Фохт, директор Института физиологии труда, член государственной комиссии радиационной защиты, президент общества биомедицинской техники, сразу же заснул. Он проснулся только тогда, когда поезд остановился на пограничной станции.

Чуть раньше к станции подъехал черный «Мерседес-280CE» с берлинскими номерами. В «мерседесе» сидели четыре сотрудника центрального аппарата Министерства госбезопасности ГДР. Им пришлось проехать двести с лишним километров, чтобы не отстать от поезда, на котором профессор отправлялся в командировку.

Насупленный пограничник вдруг сказал Фохту:

— Ваш паспорт не в порядке. Он подделан.

Профессор расхохотался:

— Чепуха. Это дипломатический паспорт, его мне вчера выдали в министерстве.

Пограничник равнодушно повторил:

— Паспорт не в порядке. Прошу следовать за мной.

На перроне не было не души. Двое сотрудников Министерства госбезопасности предъявили Фохту свои удостоверения и обыскали.

Назад в Берлин профессора повезли на «мерседесе».

Все эта затея в поездкой в Чехословакию была придумана для того, чтобы предполагаемые сообщники не узнали раньше времени, что профессор арестован.

Когда они выехали на шоссе, Фохт спросил:

— Я могу поспать?

Капитан госбезопасности Хоффман, смуглый и чернявый, как цыган, ответил резко и зло:

— Вам бы лучше приготовиться к допросу и подумать, что вы будете говорить.

— Мне нечего вам сказать, — спокойно ответил профессор и, натянув на голову куртку, заснул.

Допрос начался после того, как профессора, к его удивлению, вполне прилично покормили. Поскольку его представление о тюрьме всегда было связано с голодом, он набросился на еду и съел ужасно много. У него даже живот заболел от переедания.

Он знал, за что его арестовали.

Профессор Фохт был крупнейшим агентом американской разведки. Он раскрыл Западу весь арсенал отравляющих веществ, находившихся на вооружении Варшавского договора.

Он сообщил американцам все, что мог: данные о разработке боевых отравляющих веществ, о лабораторных исследованиях, о промышленном производстве и полевых испытаниях. Он выдал формулу токсичных отравляющих веществ, проникающих через синтетические материалы, из которых делаются армейские противогазы и общевойсковые защитные костюмы.

После применения ядовитых газов в Первую мировую войну весь мир охватил страх перед химическим оружием. Когда разразилась Вторая мировая война, предполагали, что химическое оружие обязательно будет применено. Солдатам всех армий выдавали противогазы. Но вместо химического оружия появилась атомная бомба. Цветные фотографии ядерного гриба впечатляли больше, чем черно-белые снимки с отравленными французскими пехотинцами и лошадьми в противогазах.

Но мировые державы не спешили отказываться от химического оружия. Классические отравляющие вещества легко производить. Практически каждый фармацевтический завод, который выпускает таблетки от головной боли, способен на том же оборудовании выпускать простейшие боевые отравляющие вещества.

Снарядами с отравляющими веществами можно стрелять из артиллерийских орудий, ими можно снарядить боеголовку баллистической ракеты. Главная задача состояла в том, чтобы максимально точно распылить отравляющие вещества над территорией противника. Если капли будут слишком крупными, они поразят только маленький участок, если слишком мелкими, их далеко разнесет ветром.

Распылением боевых отправляющих веществ занимались специалисты в области аэрозольной химии. Это была секретная отрасль народного хозяйства.

Профессор Фохт происходил из семьи, которая дала Германии блестящих историков, теологов и естествоиспытателей и породнилась с другими, не менее блестящими, семействами. Но его мать горько повторяла:

— Наша семья как картофель: лучшее находится под землей.

Самыми знаменитыми родственниками профессора были протестантский пастор Дитрих Бонхёффер, повешенный по приговору нацистского суда за участие в антифашистском Сопротивлении, и Арвид Харнак, казненный за участие в разведывательной группе, работавшей на Советский Союз против Гитлера.

Будущий профессор дважды оставался на второй год в гимназии и получил неудовлетворительную оценку по математике на экзаменах на аттестат зрелости.

Во время Второй мировой войны он служил врачом в танковом полку вермахта и попал в плен к русским. После капитуляции Германии он помогал восстанавливать больницы в восточной зоне, заинтересовался физиологией и сделал научную карьеру.

Фохт не стал коммунистом, но ему не нравилось и то, что многие восточные немцы уезжают на Запад. Он считал, что на их решение недобрая западная пропаганда повлияла не в меньшей степени, чем объективные трудности жизни в социалистическом государстве.

В начале 60-х годов Фохт занялся работой, которая привлекла внимание Национальной народной армии ГДР. Институт Фохта исследовал воздействие токсических веществ на организм человека.

В Первую мировую войну на случай химической атаки в окопах держали канареек, и когда те падали замертво, солдаты надевали противогазы. С тех пор ученым не удалось придумать что-то более надежное для распознавания отравляющих веществ. Фохту пришло в голову использовать в качестве индикатора отравления светящиеся бактерии и светлячков.

Группа сотрудников Фохта выращивала поколение за поколением штаммы светящихся бактерий, исследовала обмен веществ и механизм свечения этих мельчайших живых существ. Когда значительная часть работы была проделана, ее результатами заинтересовались военные.

К профессору приехал главный врач Национальной народной армии ГДР генерал Ханс Рудольф Гестевитц. Он был необычным генералом — не носил форму, ездил на западном автомобиле, защитил диссертацию и вел себя как ученый, а не как военный.

Медицинский генерал был увлечен различными идеями. Например, он мечтал о том, чтобы уберечь танковые дивизии от ядерной атаки, спрятав боевые машины под водой.

— Вода защищает от радиации, — говорил он профессору Фохту. — А после ядерного удара танки выбираются на берег и начинают атаку. Конечно, для этого нужны гигантские фабрики, чтобы обеспечить кислородом танковые войска...

Однажды генерал по секрету рассказал Фохту, что они создали новый вид противогаза. При низкой температуре в клапанах конденсируется жидкость, и обычный противогаз выходит из строя. А новый противогаз, снабженный специальной подкладкой, поглощающей жидкость, исправно функционирует при температуре минус двадцать градусов.

— Мы только что проводили артиллерийские учения, — доверительно рассказал генерал. — Мороз — минус двадцать. Артиллеристам одной батареи раздали обычные противогазы, другой — противогазы нового образца. Старые противогазы продержались пятнадцать минут — газ стал проходить. Новые позволили провести восьмичасовые учения без перерыва.

Фохт удивился:

— Но ведь при такой температуре отравляющие вещества в любом случае замерзнут и утратят поражающее действие?

Генерал успокоил профессора:

— У нас есть вещество, которое можно разбрызгивать и при морозе. Оно сохраняет свою токсичность при минус сорока.

— Но что будет, если на следующий день выглянет солнце и температура резко повысится? — спросил профессор. — Отравляющие вещества испарятся, с облаками разнесутся на сотни километров и прольются с дождем далеко от того места, которое вы решили обработать.

— Все это уже не будет иметь никакого значения, — отмахнулся генерал. — К этому моменту операция будет завершена. Нас интересуют только несколько точек в Арктике — американские радиолокационные станции. С помощью нового вещества мы можем вывести из строя всю американскую систему раннего оповещения на двенадцать часов, а наши друзья говорят, что им достаточно и шести часов.

«Наши друзья» — так на языке восточногерманских функционеров именовались русские.

Фохт легко представил себе ход такой операции. Советские и восточногерманские части особого назначения на аэросанях пересекают арктические льды и выпускают небольшие управляемые ракеты с отравляющими веществами.

Американские техники, обслуживающие радиолокаторы, выходят на улицу, и через полчаса их надо госпитализировать. Но неопытный врач даже не будет знать, как им помочь. У них разовьется нетипичная для отравлений картина заболевания. Другая смена появляется на улице и тоже заражается. Тогда радиолокационная станция выходит из строя, и в американском защитном зонтике образуется дыра, открывая этим возможность для внезапного ядерного удара по территории Соединенных Штатов.

Профессор Фохт подумал, что этот план не такой уж фантастический. Он был уверен, что советское политбюро не преминет воспользоваться такой возможностью.

Фохт стал думать о том, что должен каким-то образом предупредить Запад. Окончательное решение он принял в тот день, когда ему показалось, что вторжение на Запад реально.

Фохта командировали в Стокгольм для участия в заседании одного из комитетов ЮНЕСКО. Таким поездкам в ГДР придавалось большое значение. Паспорт он должен был получить в Государственном комитете по спорту. Но смущенный референт управления внешних сношений развел руками:

— Вы не сможете уехать. Все выезды за границу внезапно отменены.

Когда Фохт ехал на машине домой, он обратил внимание на то, что в Берлине полно войск. Танки и тяжелые грузовики двигались в сторону Западного Берлина. В Трептов-парке была развернута армейская радиостанция. Потом он столкнулся с танковым батальоном, стоявшим в полной готовности, и вереницей мощных грузовиков с бетонными надолбами в кузовах.

Жене предусмотрительный профессор посоветовал:

— Пройдись по магазинам и купи все, что нужно.

По Берлину ходили разные слухи, но Фохт пришел к выводу, что такие большие маневры в любую минуту могут перерасти в войну. Фохту передали, что, выступая перед рабочими в Потсдаме, первый секретарь ЦК Вальтер Ульбрихт сказал: у союзников нет никакого права находиться в Западном Берлине, Западный Берлин должен принадлежать ГДР. Речь, конечно же, не напечатали.

Друзья рассказывали Фохту, что некоторым из них в парткоме уже предложили быть готовыми перебраться в Западный Берлин. Директор завода стройматериалов должен был взять на себя руководство западноберлинской строительной фирмой. Директор издательства — возглавить западноберлинскую издательскую фирму.

Профессор не интересовался политикой. Он был просто ошеломленным гражданином, увидевшим танки перед домом. После того дня он сказал себе: ты обязан что-то предпринять.

Профессору долго не удавалось связаться ни с одной иностранной разведкой. Это была дурацкая история. Он обращался к разным заслуживавшим доверия иностранцам, но ничего не получалось. Однажды им заинтересовались, но Фохт был потрясен сделанным ему предложением. Британская разведка МИ-6 рекомендовала ему установить дома оборудование для радиосвязи.

Фохт отказался:

— Как же вы это представляете? Я живу в небольшом особнячке, у меня нет детей, большую часть времени я работаю дома. Вдруг я встаю, скажем, в три часа ночи, чтобы принять шифрограмму из вашего центра. Жена просыпается и изумленно спрашивает: ради бога, что ты там делаешь?

Пять раз Фохт встречался с различными посланниками с Запада, прежде чем что-то получилось. Какие-то незнакомцы, как в плохих фильмах, останавливали его на улице и произносили нелепо звучавшие условные фразы: «Сегодня прохладный вечер, не правда ли?»

Наконец с одним человеком Фохт согласился подробно говорить. Но выяснилось, что разведчик ничего не смыслит в естественных науках.

В отчаянии Фохт просто вручил ему листочек из сверхсекретного документа, подготовленного для очередного заседания комитета по химическому оружию Организации Варшавского договора.

Документ, вывезенный связным в Западную Германию, должен был подтвердить серьезность намерений профессора Фохта и его значение как источника информации.

Ответ потряс Фохта. Ему сообщили, что он никак не мог иметь доступ к строго секретной информации военного характера, следовательно, он провокатор и работает на Министерство государственнной безопасности ГДР.

Фохт часто вспоминал о своем двоюродном брате Арвиде Харнаке, который в нацистские времена из патриотических соображений работал на советскую разведку. Группа Харнака вошла в историю мировой разведки под названием «Красная капелла». Арвид Харнак и его единомышленники весной 1941 года предупреждали Сталина о подготовке войны против СССР, но Москва им не поверила. Теперь Запад не верил Фохту.

И все же ему удалось убедить американцев в своей искренности. Хотя еще долгое время Фохту казалось, что американцы все же иногда сомневаются в его информации.

Секретные сведения сами стекались к Фохту. Офицеры Национальной народной армии ГДР — химики в мундирах — часто бывали в его институте и считали профессора человеком, допущенным ко всем секретам. Они занимались боевыми отравляющими веществами и нуждались в его помощи.

Профессор сообразил, как получить от них нужную информацию. Он говорил, что в химии он полный профан, не понимает формулы и не может их запомнить, поэтому всякий раз он с профессорской эксцентричностью обращался то к одному, то к другому офицеру:

— Я ничего не понимаю, запишите мне все это.

Потом профессор передавал записи своим связным. Все это были сведения о новых нервно-паралитических веществах. Между делом Фохту раскрыли и коды боевых отравляющих веществ Варшавского договора, а также способность общевойсковых защитных комплектов советского производства противостоять воздействию тех или иных веществ.

Таким образом, на какой-то момент все армии Варшавского договора стали беззащитны перед химической атакой Запада.

Офицеры Национальной народной армии ГДР однажды даже принесли образцы новейших отравляющих веществ в институт Фохта, чтобы проверить его научные разработки.

Когда эксперименты закончились, ассистент показал Фохту бумаги с результатами и картонную коробку, в которой стояла бутыль с двойными стенками — самое сильное боевое отравляющее вещество, производимое на тот момент в самой ГДР.

Офицеры привезли две бутыли и не захотели забирать их назад, потому что взяли их у себя «неофициально», без оформления. Одну они просто вылили в канализацию. Вторую оставили в институте.

— Вам этого хватит на несколько лет для экспериментов.

Фохт сообщил американцам, что у него есть эта бутыль.

Они ему просто не поверили. На этот раз у него не было никакого желания их переубеждать. Слишком опасной была бы любая попытка переслать им образец.

Работа секретным агентом вовсе не была легкой. Профессор нервничал, плохо себя чувствовал, болел. Он почти забросил научную работу. Коллеги удивлялись:

— Что с вами происходит? О вас ничего не слышно.

Если задание, которое давали американцы, ему не нравилось, он отказывался его выполнять. Временами Фохт впадал в раздражение и резко говорил связному:

— Оставьте меня в покое.

Первая неприятность, связанная с работой на иностранную разведку, была сравнительно терпимой — испорченный стол красного дерева.

Фохт получил от американцев письмо, написанное на специальной бумаге, которую надо было слегка подогреть, чтобы на ней выступили написанные строчки. Так он получал инструкции. Неопытный Фохт воспользовался утюгом, чтобы прочитать письмо, и безнадежно испортил стол. Жена не могла понять, зачем он взял утюг, но профессор оправдался. Объяснил, что сушил фотоматериалы, полученные из института.

Свои послания американской разведке он писал с помощью специальной копирки. Сначала на обычном листе почтовой бумаги сочинял невинное послание несуществующему родственнику. Затем на обратную сторону уже готового письма клал лист специальной бумаги, на него чистый лист обычной, на котором и писал свое донесение. Оно с помощью бесцветной копировальной бумаги переносилось на обратную сторону письма.

Контрразведка ГДР легко бы распознала бы такую простую тайнопись, но американцы исходили из того, что невозможно проконтролировать весь поток писем из ГДР.

Специальную копирку и указания профессору посылали прямо на домашний адрес — от имени мифических западных коллег.

Американская военная разведка снабдила его перечнем своих почтовых ящиков — это были невинные адреса в маленьких городках Дании, Австрии и Голландии.

Профессор Фохт не брал денег за шпионаж.

Он не был антикоммунистом. Но он считал руководителей СССР и ГДР авантюристами и боялся, что при первой удобной возможности они попытаются нанести удар по Западу. Особенно если армии Варшавского договора создадут оружие, способное прорвать линию обороны Запада. Поэтому Фохт и передал американцам все, что знал о химическом вооружении стран Варшавского договора.

Первый звонок для Фохта прозвучал в тот день, когда он должен был руководить научным конгрессом в помещении военного госпиталя. Накануне открытия конгресса ему не разрешили даже осмотреть помещение. Причина? У него нет допуска на военные объекты.

Генерал Гестевитц вдруг спросил Фохта:

— Помните, я как-то говорил с вами об отравляющих веществах, применяемых в холодную погоду? Странным образом страны НАТО внезапно изменили систему своей защиты от химического нападения. Как вы думаете, они сами увидели свое слабое место? Или с нашей стороны была утечка?

Фохт понял, что теперь контрразведка быстро доберется до него: он был единственным человеком — вне высшего руководства армии, — осведомленным в этих суперсекретных разработках. Профессор был готов к аресту, и когда это произошло, он был почти спокоен.

Предварительное следствие по его делу продолжалось восемь месяцев. У следователей была своя драматургия. Они знали, как вывести из равновесия арестованного. Например, вечером после утомительного допроса следователь говорил:

— Ваши показания неудовлетворительны. Завтра я снова буду задавать вам вопросы. Подумайте, что вы хотите нам сказать. Это будет иметь решающее значение для вашей судьбы.

Однако на следующий день профессора на допрос не вызывали. Допросов не было две недели. Тогда ему начинало казаться, что лучше допрос, чем томительное сидение в камере.

Тактика изматывания, к которой прибегли следователи, то неожиданно вызывая на один допрос за другим, то заставляя неделями киснуть в камере, не прошла бесследно для Фохта. Однажды он выпалил следователю:

— Лучше бы вы избивали меня, чем мучили таким ужасным образом.

Следователь высокомерно сказал:

— Вы наслушались западной пропаганды. Холодные камеры, где пол залит водой, электрошоки, дубинки — мы все это уже не применяем.

Во время следствия Фохту запрещалось писать, читать газеты, получать письма и играть в шахматы. Разумеется, у него не было адвоката и он не имел никаких вестей от жены.

Охрану тюрьмы несли солдаты особого полка имени Феликса Дзержинского Министерства государственной безопасности, своего рода лейб-гвардия социалистической ГДР. Каждые три минуты надзиратели заглядывали в глазок. Профессор часто разговаривал сам с собой, и ему приказывали молчать. Если он натягивал одеяло на голову, его немедленно будили.

Вначале ему было очень неприятно из-за того, что самые естественные отправления он вынужден совершать под присмотром. Но он быстро привык. И думал о том, приятно ли надзирателю смотреть, как заключенный сидит на унитазе.

Если от надзирателя требуют не спускать с заключенного глаз ни днем ни ночью, смотреть в глазок каждые три минуты, то у надзирателя нервы сдают раньше, чем у заключенного. Надзиратель находится на посту восемь часов, а глазок расположен очень неудобно...

Профессора судила коллегия по уголовным делам военного трибунала. Это был первый случай, когда гражданское лицо судили военные. Профессор физиологии чувствовал себя возведенным в генеральское достоинство. Даже жена Фохта не знала, что его судят.

Зал был пуст, сидели только трое солдат, стенографистка и обвинитель с адвокатом. Фамилии судей не располагали к веселью: Хаммер (молоток), Нагель (гвоздь) и Зарге (гроб).

Фохт ничего не отрицал. Его приговорили к пожизненному заключению за шпионаж и угрозу основам ГДР и отправили в тюрьму в Баутцене.

Профессор знал эту тюрьму: в первые послевоенные годы ему подчинялись все тюремные больницы на территории советской оккупационной зоны в Германии.

Есть женщины, которым в юности не хватает ярких красок, и мужчины обходят их вниманием. Но в зрелости они становятся привлекательными. Так и произошло с Кристи. С годами она стала если не красивой, то по крайней мере очень симпатичной.

Она получала множество приглашений на вечеринки и иногда собирала компанию сослуживцев у себя дома. Она видела, что нравится мужчинам в отделе, но они не решались выразить свою симпатию более откровенно.

Один из коллег все-таки решился. Он развелся и мог ухаживать за ней, так сказать, на официальной основе. Он занимался китайской агентурой в Западной Европе. Любимой частью его работы было посещение китайских ресторанов. Любовь к китайской кухне объяснялась оперативным интересом.

Владельцев этих ресторанов подозревали в тайной работе на Пекин. У одного был обнаружен тайный передатчик, у другого — большое количество пропагандистских листовок.

Владельцев ресторанов Пекин заставлял ежемесячно переводить определенную сумму в Китай. Формально эти деньги предназначались родственникам, оставшимся в КНР. На самом деле деньги шли в казну народного Китая.

Он дважды приглашал Кристи пообедать. Один раз она согласилась, но, увидев, что он настроен серьезно, от второго приглашения ловко уклонилась. А он своих намерений не оставил. Подсаживался к ее столику во время обеда в служебной столовой, часто заходил в ее кабинет, рассказывал что-нибудь смешное.

Он пытался вступить в контакт с работающими в Западной Германии китайцами в надежде кого-то завербовать, но это оказалось трудным делом.

Однажды он показал ей письмо, которое китайцы прислали ему в ответ на предложение заключить очень выгодный контракт на поставку из Китая замороженных лангустов и омаров: «Глубокоуважаемый господин, не говоря уже о многих других победах, которые принесла нам культурная революция, мы можем сообщить Вам прекрасную новость: в Китае произведен взрыв первой водородной бомбы. Китайский народ преисполнен гордости за это свершение. К сожалению, мы не можем поставить Вам лангустов и омаров».

Через некоторое время он послал китайцам новое письмо на другом бланке. Он предлагал покупать в Китае соевые бобы, и опять же по высокой цене, которая не могла не заинтересовать. Он получил ответ, в котором говорилось, что в один прекрасный день монополистов Америки и их приспешников постигнет справедливое наказание. Письмо заканчивалось словами: «В настоящее время соевых бобов в запасе нет».

Кристи на всякий случай передала информацию, услышанную от своего ухажера, в Москву, но твердо попросила его больше к ней не приходить. Она не нуждалась в других мужчинах, ей нужен был только Конни.

Она не могла жить без Конни. Сильная по характеру, Кристи удивлялась своей полной зависимости от Конни и не ценила свободу, которой завидовали многие ее замужние подружки.

Она сама дарила себе подарки. Долго выбирала красивую вещицу в магазине, просила завернуть в подарочную бумагу, приносила домой и торжественно разворачивала. Она представляла себе, что этот подарок ей сделал Конни.

Московская радиостанция регулярно передавала ей зашфированные послания от Конни. Но это была односторонняя связь. Видеться они могли не чаще одного раза в год, когда Кристи получала отпуск.

Она старалась быть нужной Конни. Она старалась и в постели в тот единственный месяц в году, и за письменным столом, сочиняя разведывательные донесения все остальные одиннадцать месяцев.

Кристи могла обходиться без мужчины весь год, ожидая встречи с Конни. Но она часто думала о том, способен ли на такое самопожертвование Конни. У мужчин все иначе. Иногда им просто нужна женщина. Этого Кристи смертельно боялась — быть преданной, брошенной и обманутой.

Но при каждой встрече Конни успокаивал ее. Ей не надо ни о чем беспокоиться: он стеснительный и робкий в отношениях с жещинами. Кроме того, у них в семье так принято — для мужчины существует только одна женщина. Его женщина — это Кристи. Он говорил так убедительно... Кристи хотелось ему верить, и она верила.

Гюнтеру предложили принять участие в акции по добыванию денег для палестинцев. Деньги палестинцам были нужны. Он поехал с ними в Лондон. Они надеялись захватить посла Объединенных Арабских Эмиратов и обменять его на сорок миллионов долларов. Богатейшее в мире государство, торговавшее нефтью, свободно могло заплатить такие деньги.

Две недели с утра до вечера они вели наблюдение за посольством и резиденцией посла. Но за это время им только два раза удалось увидеть в лицо посла и его двух телохранителей. Дело пришлось отменить.

Гюнтер поехал обратно в Германию. В лесу возле Франкфурта он встретился с Дитером Рольником и Петрой Вагнер, которая только что вернулась из Ливана. Они сидели на траве и курили. Петра очень спешила и сразу спросила Гюнтера, не пора ли ему взяться за настоящее дело.

— Я только что была в Бейруте, — рассказала она. — Положение палестинцев ужасно. Ливанские христиане ведут против них настоящую войну. Богатые арабские государства палестинцам совершенно не помогают. Надо заставить их участвовать в палестинском деле.

— Что ты предлагаешь? — спросил Гюнтер.

— У Дитера есть идея захватить всех нефтяных министров, — ответила Петра. — В Бейруте соберутся министры из Организации стран — экспортеров нефти.

Рольник лежал на траве, смотрел в небо и молчал. За него говорила Петра.

Она сильно изменилась с тех пор, как они виделись в последний раз, после убийства судьи Конто. Петра провела несколько месяцев в тренировочном лагере в Ливане, похудела и закалилась.

Идея Рольника казалась сногшибательной! Правда, Гюнтер был уверен, что план невыполним, но это не имело никакого значения.

Ему сделали новый паспорт, он уложил дорожную сумку и уехал на поезде в Цюрих. Из Швейцарии он, Фриц и Петра полетели на Кипр, где должны были снять номера в разных гостиницах. Но за завтраком в гостиничном кафе Гюнтер с удивлением увидел Фрица.

Он поселился в той же гостинице, потому что в другом отеле не оказалось свободных мест. Они сделали вид, что не знают друг друга.

После завтрака Гюнтер с Фрицем бродили по городу. И кто же вышел им навстречу из греховно дорогого магазина? Рольник в только что купленном берете.

Втроем отправились обедать в фешенебельный ресторан. Другие Рольник не признавал.

После обеда вернулись в гостиницу, чтобы поговорить о деле. План у Рольника был грандиозный. Группа захватывает министров и требует от ливанских властей каждый час зачитывать по радио палестинский манифест, обращенный ко всему миру. Потом ливанцы предоставляют авиалайнер, на котором они облетают одну за другой все страны, входящие в Организацию экспортеров нефти.

— Нефтяных министров мы освободим каждого в его стране, — пояснил Рольник. — Но только после того, как его правительство сделает заявление о готовности помочь палестинцам.

Если требования не будут выполнены, два министра будут немедленно расстреляны — саудовский и иранский.

— Для операции мы получим от наших друзей два автомата, шесть пистолетов, восемь ручных гранат и достаточное количество взрывчатки вместе с запалами, — рассказывал Рольник. — Кроме того, мы будем хорошо знать, как выглядит здание изнутри, систему охраны и так далее.

Рольник веско произнес:

— Я хочу объяснить вам правила поведения с заложниками. Кто окажет сопротивление — будет убит на месте. Кто не выполнит наши приказы — будет расстрелян. Если кто-то попытается бежать — стрелять немедленно. Если кто-то впадет в истерику и начнет визжать — расстрелять его.

И добавил:

— Если кто-то из членов команды не подчинится моим приказам или не выполнит своего задания, я его сам расстреляю.

Но тут Гюнтер сорвался. Но его вкус тут было слишком много стрельбы. Он почти закричал на Рольника:

— Разве ты не понимаешь, что оружием можно не только убивать, но и ранить? Я не убийца и не собираюсь им становиться! Я не буду стрелять в того, у кого начнется истерика. И если это иначе невозможно, то можешь вычеркнуть меня из списка!

Тут уже разозлился Рольник:

— Там в здании будет сто с лишним человек, многие вооружены — полиция и охранники министров. Если кто-то из них не подчинится нашим приказам и попытается сопротивляться, его придется пристрелить. Иначе они нас убьют. Твои слова — это просто чушь. Все, что нам предстоит сделать, это не убийство, а необходимость. Мы ведем войну, а на войне приходится убивать, если хочешь победить.

Гюнтер остался при своем мнении: это чистое убийство и он не станет этим заниматься. Хватит с него убийства судьи Конто. Гюнтер решил про себя, что если кто-то выстрелит, он выстрелит в ответ, но постарается ранить, а не убить.

Когда Рольник вышел в туалет, молчавший до этого Фриц попытался успокоить Гюнтера:

— Послушай, мы, конечно же, не убийцы. Не надо воспринимать все, что говорит Дитер, так буквально. Ты единственный, кого он не мог проверить в тренировочном лагере. У него свои способы разбираться в людях. Они, правда, несколько своеобразны, но если они полезны для дела, то что тут возразишь?

Шестого ноября был четверг, и в пять часов вечера в Москве в Кремлевском дворце съездов началось торжественное собрание, посвященное очередной годовщине Великой Октябрьской социалистической революции.

Виктор Шумилов вдвоем с Мартыновым из отдела ЦК по связям с братскими партиями опекали сразу несколько иностранных партийных делегаций и должны были вместе со своими подопечными приехать во Дворец съездов. Мартынов по дороге сказал что-то ерническое, но Шумилов сделал вид, что не услышал.

Сотрудникам аппарата приходилось быть осторожными. Любое неосмотрительное слово, намек на критику могли поставить крест на цековской карьере Шумилова. Нескольких либералов из ЦК уже выставили, их даже не в МИД перевели, как прежде делалось, а рассовали по академическим институтам.

Каково в нынешней ситуации остаться без кремлевского пайка, поликлиники и машины, уныло размышлял Шумилов. Машина — черт с ней, можно и на метро доехать. Важнее всего поликлиника.

При мысли о том, что когда-нибудь придется вернуться в районную поликлинику с ее очередями, хамством, поганым оборудованием стоматологического кабинета, отсутствием хороших врачей и лекарств, Шумилова пробирал озноб. А где летом отдыхать, если открепят от Четвертого управления? А дачу где взять?

Он с завистью смотрел на Мартынова, который три недели назад получил повышение, стал заместителем заведующего отделом и не переставал радоваться жизни.

Вожделенное кресло освободилось совершенно неожиданно. Прокололся предшественник Мартынова, бывший секретарь архангельского горкома, подучивший немецкий язык в Академии общественных наук при ЦК КПСС.

Он ездил в Берлин как к себе домой, привык, расслабился и, видимо, потерял чутье. Не уловив перемен в Берлине, продолжал разговаривать с немцами, как со своими инструкторами в горкоме. Естественно, он стал раздражать немцев, и они легко нашли способ его убрать.

Вместе с однокашником по академии, которого распределили в ГДР советником посольства по связям с партией, они провели ночь в Берлине, пьянствуя у одной веселой немки. Своих, посольских, они не опасались — никто не решился бы стукнуть на замзава из ЦК, а что это могут сделать немцы, им и в голову не пришло.

Немцы обратились прямо к советскому послу.

Посол был легендарной личностью. С небольшими промежутками он сидел в Берлине тридцать с лишним лет. Учить немецкий язык он считал ненужной затеей и со всеми немцами разговаривал по-русски.

Когда он приехал в Берлин в первый раз, слово советского старшего брата было законом, и все немцы прекрасно понимали посла. Он снимал трубку телефона правительственной связи ГДР, набирал номер соответствующего министра и приказывал ему:

— Геноссе, нашим нужна партия оптики с заводов Цейсса, сейчас тебе бумагу привезут, оформи.

Два года посол провел в Париже — это была награда за верную службу, но неудачная. Посол не смог сориентироваться в незнакомой среде, французам он не понравился, президент дал это понять при встрече с генеральным секретарем.

Посла отозвали в Москву, назначили в ЦК, а потом вернули в Берлин, и он, к своему изумлению, обнаружил, что за эти годы немалая часть руководителей братской ГДР совершенно разучилась понимать по-русски. Отныне ему приходилось общаться с членами политбюро ЦК СЕПГ через переводчика и соблюдать какие-то нормы дипломатического этикета.

Советы и рекомендации посла выслушивались в Берлине крайне вежливо, но выполнялись крайне редко. Восточные немцы явно выходили из-под контроля Москвы, хотя по-прежнему охотно принимали всю помощь, передачей которой ведал созданный еще Хрущевым 4-й отдел аппарата Совета министров СССР.

То, что немцы посмели выразить неудовольствие поведением сотрудника ЦК КПСС, посол воспринял как личное оскорбление. Но поделать ничего не мог.

После короткого дознания, произведенного по его поручению офицером безопасности, посол отправил в Москву шифровку, которая разошлась по большой разметке — то есть попала на стол членам политбюро.

Секретарь парткома посольства, напуганный всей этой историей — с него первого спросят за «аморалку», — по собственной инициативе еще позвонил по ВЧ в Москву, чтобы первым рассказать об аморальном поведении архангелогородца своим кураторам в отделе ЦК КПСС по выездам и работе с загранкадрами.

Ни о чем не подозревавший архангелогородец вернулся в Москву с бутылками яичного ликера для товарищей и колготками для секретарши и, как всегда, приехал утром на Старую площадь.

На столе вместо толстых папок с шифротелеграммами, тассовскими сообщениями и номерными цековскими бюллетенями он увидел одинокую бумажку на знакомом бланке — выписку из решения секретариата ЦК: освободить от работы в ЦК КПСС с такого-то числа в связи с утверждением старшим научным сотрудником Института научного атеизма.

Он схватился за вертушку — аппарат городской правительственной связи, но телефон уже был отключен. Попытался по внутреннему телефону дозвониться своему начальнику, но в этот момент его самого позвали в Комитет партийного контроля при ЦК КПСС.

Первый заместитель главного инквизитора, люто ненавидевший пьянство и пьяниц, считал своим долгом лично разбираться с работниками аппарата, замеченными в бытовом разложении и нарушении партийной этики.

Он в полчаса размазал по стенке архангелогородца:

— Еще скажите спасибо за то, что, из уважения к прежним заслугам, вам партбилет оставили.

Бывший замзав, ничего не видя и не слыша, кое-как добрался до своего кабинета, чтобы собрать вещички и исчезнуть. С двери кабинета уже свинтили табличку с его именем. Это в управлении делами ЦК делали быстро: табличка появлялась в день назначения нового работника и исчезала в день его увольнения.

Через неделю Мартынов уже обосновался в новом кабинете и гонял по личным делам секретаршу, которой на прежней должности — заведующего сектором — ему не полагалось. Домой, в поликлинику Четвертого управления на Сивцев Вражек и в спецмагазин на улицу Грановского его возила новенькая черная «Волга» с мосовским номером. Он получил дачу в цековском поселке на двоих с замзавом из общего отдела ЦК и изо всех сил старался с ним подружиться.

Все это Мартынов, чрезвычайно довольный собой, выложил Шумилову, который раньше его стал замзавом и которому он мог больше не завидовать.

Шумилов слушал Мартынова вполуха. Мартынов был известен тем, что всегда приезжал на Старую площадь чуть раньше заведующего отделом и, оставив дверь приоткрытой, ждал, когда раздадутся начальственные шаги. Тогда он брал в руки папку и с озабоченным видом выходил в коридор — навстречу заведующему отделом, так что тот каждое утро имел возможность убеждаться в том, что Мартынов просто горит на работе.

Шумилов относил Мартынова к числу летних, то есть откровенных, дураков — в отличие от дураков зимних, которые научились свою дурость скрывать хитростью и коварством.

Коварных Шумилов боялся. Но именно таких на Старой площади становилось все больше. Особенно с тех пор, как политбюро приняло жесткое решение: брать в аппарат ЦК только тех, у кого есть опыт освобожденной партийной работы.

В аппарате не доверяли либеральным партийным интеллигентам, которые просачивались в международные отделы.

В свое время Шумилова взяли консультантом в ЦК КПСС из академического Института мировой экономики и международных отношений. Теперь он боялся, что новый заведующий отделом избавится от таких, как он.

Шесть-семь лет назад Шумилов достаточно спокойно перенес бы возвращение в институт. Он мог бы вернуться к научной работе, преподавать, стать профессором. Но не теперь. Жизнь в стране ухудшилась до такой степени, что остаться на одной зарплате без цековских привилегий — означало погрузиться в жалкое существование. Шумилов боялся и за себя, и за семью.

Так называемая столовая лечебного питания на улице Грановского, откуда ответственные работники выходили с обширными свертками, перевязанными бечевкой, плюс цековские заказы позволяли ему кормить и семью, и стариков — своих и жены.

В обычных же магазинах просто ничего не было. Иногда, бывая у родителей, он видел дрянные продукты, которые, простаивая целыми днями в очередях, добывал отец — ветеран войны, и ему становилось дурно.

Во Дворце съездов руководителей партийных делегаций проводили в комнату президиума — огромный зал с накрытыми столами.

Мартынов и Шумилов подобрались к столу и накинулись на закуски. В центре стола стояла водка, грузинское вино и шампанское, но сотрудникам аппарата рекомендовалось ограничить себя «боржоми». Спиртное выставили ради иностранных гостей.

Шумилов энергично жевал и осматривал зал, постепенно заполнявшийся иностранными гостями, приглашенными на празднование годовщины Великого Октября.

Он знал почти всех, кто в эти холодные ноябрьские дни приехал в Москву, рассматривая участие в празднике как удачную возможность отдохнуть за чужой счет. Верных союзников Советский Союз по-прежнему принимал по-царски. Резиденции на Ленинских горах были полны, новая партийная гостиница на площади Димитрова тоже заполнилась под завязку.

Четыре дня подряд Шумилов, да и все остальные сотрудники трех международных отделов, ездил на правительственный аэродром во Внуково-2, как на работу, — встречал спецсамолеты с иностранными делегациями и развозил по резиденциям и гостиницам. Все другие дела были отложены. Некоторые подъезды в ЦК просто вымерли.

Пока собирались делегации, они успели закусить. Когда из особой двери появилось политбюро, Шумилов за руку оттащил Мартынова от стола.

Помощник подскочил к генеральному секретарю и что-то прошептал на ухо.

— А-а, — протянул генеральный. — Пора начинать. Прошу всех в зал.

Сделав приглашающий жест, он пропустил вперед иностранных гостей. Руководители делегаций отправились в президиум.

Шумилов с помощью сотрудника Девятого управления КГБ, который хорошо ориентировался в зале, провел и посадил своих подопечных на отведенные им места. Когда в зале появилось политбюро, все встали и устроили овацию.

— Дорогие товарищи! Уважаемые гости! — начал генеральный секретарь.

Чтение основного доклада было ему в новинку. Он еще наслаждался этим занятием, поэтому, пробежав фразу глазами, поднимал голову и старательно выговаривал слова, глядя прямо в зал.

— Всего несколько десятилетий отделяют нас от революционных октябрьских дней. Оценивая пройденный путь, можно твердо сказать: страна идет верным путем. Увеличилось национальное богатство страны. Укрепилась обороноспособность. Повысилось благосостояние советского народа. Нерушимое единство партии и народа еще больше окрепло!

Зал взорвался аплодисментами. Шумилов автоматически складывал ладони.

Шумилову не удалось дослушать выступление генерального секретаря. Его отыскал сотрудник «девятки» и передал просьбу секретаря ЦК Бориса Пономарева пройти в зал президиума.

В комнате президиума в креслах сидели Борис Пономарев, начальник внешней разведки Владислав Лучков и еще какой-то неизвестный.

Лучкова Шумилов несколько раз встречал в театре. Тяга к искусству передалась начальнику разведки от его покойного шефа Андропова.

Пономарев жестом подозвал Шумилова к себе:

— Виктор Петрович, присядьте. Я посоветовался с товарищами из КГБ. Мы пришли к общему выводу, что на встрече министров стран — экспортеров нефти разумным будет участие наших наблюдателей.

Две пары глаз в очках уставились на Шумилова.

— Мы знаем, что вы едете в Бейрут по своей линии, — скрипучим голосом добавил Лучков. — Но совещание нефтяных министров не менее важно. Они приглашают дипломатов, так что наш посол пойдет обязательно, но он будет исполнять чисто протокольные функции. А там нужен сильный международник, знающий арабский язык, так что вам целесообразно пойти вместе с послом.

Билет Шумилову взяли на воскресенье — он отправлялся в Бейрут по приглашению ливанской коммунистической партии для участия во встрече представителей коммунистических партий Ближнего Востока.

Шумилов получил в управлении делами ЦК билет и командировочные, заказал машину, которая должна была отвезти его в аэропорт, отправил телеграмму в советское посольство в Бейрут, чтобы не забыли встретить.

Первый, кого Виктор Шумилов увидел в Бейруте, был его старый знакомый Ахмед Шараф, заместитель председателя ливанской коммунистической партии.

Шараф обнял его и пригласил в ожидавший их лимузин с затемненными стеклами. Шараф считался постоянным подопечным Шумилова. Если Шараф приезжал в Москву, Шумилова назначали возиться с ним: встречать, показывать, переводить и поить.

Шараф, коротко стриженный, с громоподобным басом, был похож на пивную бочку. Он действительно любил пиво, как, впрочем, и другие крепкие напитки. Благо смета, составляемая в управлении делами ЦК КПСС для гостей такого уровня, позволяла ливанскому коммунисту номер два пить и закусывать вволю.

Веселый и компанейский, Шараф нравился Шумилову тем, что совершенно не походил на советских партийных чиновников. Они дважды неплохо отдохнули вместе в санатории «Нижняя Ореанда» — причем для Шумилова это была служебная командировка.

Последний год Шумилов не видел Шарафа. Тот болел, ему вырезали почку. Ливанец почти перестал пить и поэтому, видимо, утратил интерес к поездкам в Москву. Предпочитал отдыхать в Карловых Варах в Чехословакии, пил животворную водичку и лечился за счет братского чехословацкого народа.

Больше всего на свете руководители компартий любили приезжать в Советский Союз и другие социалистические страны. У себя дома они были мелкими чиновниками, на которых никто не обращал внимания. Но стоило им пересечь границу восточного блока, как они превращались в очень важных персон, которых принимали на уровне официальных правительственных делегаций.

В Москве и в других столицах социалистических стран к ним относились как к членам политбюро, и это был самый веский аргумент в пользу строительства социализма в их странах. Они хотели так чудесно жить не два-три месяца в году, а всегда.

Лето они старались проводить в одном из санаториев Четвертого управления в Крыму или на Кавказе, а зимой приезжали еще на месяц в Прибалтику. Заодно проходили в Москве диспансеризацию в поликлинике Четвертого управления, в случае необходимости прилетали, чтобы лечь в больницу в Кунцево, сделать там операцию.

Шумилов в глубине души презирал карманных коммунистов, хотя и понимал, что, в свою очередь, обязан им своей работой: ведь главная задача международного отдела ЦК КПСС состояла в поддержании связей с мировым коммунистическим движением.

Впрочем, командировка в Ливан имела множество преимуществ. Его поселили в гостинице, где ни за что не надо было платить. У него был открытый счет: ешь, пей и подписывай счета. Кроме того, во время перерыва между заседаниями Шумилова отвезли в недорогой магазин, и он смог выполнить все заказы, сделанные женой.

Встреча уже заканчивалась, когда Шумилова вызвали с совещания и попросили позвонить в советское посольство. Дежурный сказал, что посол просит его приехать.

В кабинете с длинным столом для заседаний, кроме самого посла, сидел широко улыбавшийся полковник Олег Червонцев, резидент советской разведки.

Шумилов помнил его по институту международных отношений. Червонцев был младше на два курса. Перед распределением Олег, который приехал в Москву из Астрахани и жил в общежитии, женился на дочери сотрудника КГБ и сам попал в это ведомство.

Приятели рассказывали Шумилову, что Червонцев был рядовым сотрудником резидентуры в Испании, когда учиться в Мадридский университет приехала внучка первого заместителя председателя КГБ. Червонцев лично занялся обслуживанием внучки. На деньги резидентуры снял ей большую квартиру, возил на своей машине, выполнял любые ее просьбы, пересылал письма в Москву любимому дедушке. Вот тут-то у него служба и пошла — и звездочки на погоны, и новые должности.

Когда внучка закончила курс и вернулась домой, Червонцев получил полковничьи погоны и первую же вакантную должность резидента — в Ливане. Для Червонцева это было крупное повышение.

При сильном резиденте посол обычно чувствует себя неуютно, теряет свой вес и влияние. Но посол Вавилов был человек с именем, опытный. Он ладил с резидентом, как когда-то у себя в сочинском горкоме ладил с начальником городского отдела КГБ.

Окна в кабинете посла были наглухо закрыты металлическими жалюзи — по соображениям безопасности, даже в ясный солнечный день приходилось включать свет.

— Садись, Виктор, — сказал посол Шумилову, — попьем чаю и поедем на встречу к министрам.

— Встреча начнется через час, — добавил Червонцев. — Рад тебя видеть, Витя.

Посол Михаил Петрович Вавилов приехал в Ливан с министерской должности. Правда, министром он был недолго, не успел как следует насладиться.

Когда его на секретариате ЦК назначили министром, он сразу отправил в это темное, неуютное, высотное здание сталинской постройки своего главного помощника. Тот придирчиво осмотрел кабинет министра и комнату отдыха, велел заново покрыть пол лаком и сменить мебель. Сам отобрал дежурных секретарей. Прошелся по этажам. Велел в большой столовой для членов коллегии министерства выгородить вполне приличную комнатку, сказав, что министр должен обедать отдельно от всех.

Попасть к министру стало трудно. Секретари делали вид, что не знают никого, кроме заместителей министра. Впрочем, чиновники и не рисковали обращаться непосредственно к министру — ходили только к его заместителям. Вавилов вел себя как небожитель, случайно спустившийся на землю.

Министерство тракторного машиностроения было одним из самых маленьких в стране. Его образовали несколько лет назад в качестве благодеяния для одного из снятых членов политбюро. Пока министерство создавали, кандидат в министры умер, не вынеся горечи отставки.

Хотели было расформировать министерство, но потом генеральный секретарь вспомнил о своем старом товарище, мечтавшем о министерском кресле. Михаил Петрович Вавилов был секретарем горкома в Сочи, курортным секретарем — он умел принять у себя важных московских людей, устроить им хороший отдых. Генеральный каждый год отдыхал в Сочи и приметил старательного секретаря.

Но счастье было недолгим. Старый генеральный умер, а новый в Сочи не ездил, Вавилова не знал и на политбюро выразил недовольство вялой работой министерства.

Отношение к Вавилову мгновенно изменилось даже в аппарате министерства. Раньше все вокруг него ходили на цыпочках и смотрели ему в рот. Теперь некоторые члены коллегии и особенно секретарь парткома министерства осмеливались возражать Вавилову.

В министерстве решили, что Вавилов долго не усидит. В подобном случае инстинкт выживания толкал даже замшелого чиновника на сопротивление обреченному министру.

Через месяц после избрания нового генерального секретаря Вавилова пригласили на заседание партийного комитета министерства.

Министру полагалось быть членом парткома, но Вавилов пришел недавно и сам предложил не кооптировать его, а подождать министерской партконференции. Ему регулярно приносили приглашения на партком, но всякий раз срочные дела мешали позаседать вместе с партийными товарищами.

На сей раз в приглашении значилось: «Отчеты коммунистов-руководителей». Вавилов решил сходить.

Кабинет секретаря парткома помещался на том же этаже и немногим уступал кабинету министра. Полтора десятка мужчин в одинаковых черных костюмах и две женщины с высоченными прическами при появлении министра нерешительно встали. Секретарь парткома расцвел, одарил присутствующих улыбкой и засуетился, предлагая министру чуть ли не свое кресло.

Вавилов со всеми поздоровался за руку и, несмотря на уговоры, сел в стороне. Оказавшийся рядом с ним человек с блокнотом скромно представился:

— Гузнов из московского городского комитета.

Вавилов и ему пожал руку.

Отчитывались два начальника управлений. Один из них — бывший директор тракторного завода — рассказал о ситуации в главке, перечислил свои партийные поручения и держался вполне спокойно. Второй —

Фигурнов — на коллегиях сидел незаметно, а тут заговорил бойко, уверенно, громким голосом.

Он сказал членам парткома, что, по мнению коммунистов его управления, новый министр не обеспечивает должного руководства аппаратом.

— Новая модель трактора, которую ждут от нас труженники полей, все еще не внедрена в производство. Труженники полей и в следующую посевную кампанию останутся без тракторов. Почему же наше министерство не выполняет указания партии? Я считаю, что в этом проявились недостатки организаторской работы товарища Вавилова.

На минуту в большом кабинете, обитом светлым деревом, повисла тишина. Разгневанный Вавилов уже поднялся для того, чтобы ответить Фигурнову, как вдруг распахнулась дверь и появился запыхавшийся помощник министра.

— Михаил Петрович, вас ищет генеральный секретарь! — выпалил он. — Из приемной просили немедленно перезвонить.

Вавилов почувствовал, как взоры всех присутствовавших буквально впились в него.

Вавилов поднялся, собираясь позвонить от себя, но заметил на столе секретаря парткома телефонный аппарат цвета слоновой кости — АТС-2, вторую «вертушку». Конечно, звонить генеральному секретарю по второй «вертушке», которой пользовались номенклатурные работники среднего ранга, было как-то несолидно. Но если бы Вавилов сейчас ушел, это выглядело бы бегством.

Он подошел к столу секретаря и решительным жестом снял трубку. Не заглядывая в справочник, на память набрал четыре цифры. Ответил дежурный секретарь. Вавилов назвал себя.

— Сейчас доложу, — сказал секретарь.

Почти сейчас же в мощной мембране раздался глухой голос генерального секретаря:

— Ты как посмотришь, Михаил Петрович, если мы тебя порекомендуем послом в Ливан? Страна важная. Не возражаешь?

— Сочту за честь, — сказал Вавилов, прекрасно понимая, какое впечатление произведут его слова на членов парткома.

— Тогда выносим на политбюро, — удовлетворенно закончил генеральный. — Ты откуда говоришь-то? — спохватился он.

— Из кабинета нашего партийного секретаря. У нас партком заседает.

— Тогда извинись перед товарищами, что я ваше заседание прервал, и пожелай им успеха.

Вавилов положил трубку и повернулся к членам парткома:

— Генеральный секретарь желает нам всем успеха.

Секретарь парткома вытянулся в струнку:

— Спасибо, Михаил Петрович.

Вавилов склонился к нему и спросил:

— Ничего, если я пойду к себе?

— Конечно, конечно, Михаил Петрович! Спасибо, что нашли время зайти к нам.

Он побежал вперед, чтобы распахнуть дверь перед министром. Когда Вавилов вышел, секретарь парткома закричал на Фигурнова:

— Что это вы тут несли, товарищ Фигурнов? Партийный комитет недоволен вашим самоотчетом. Вы что думаете, товарищ Фигурнов, партийный комитет будет благодушно взирать на вашу деятельность?

Посла и Шумилова сопровождали три машины, набитые полицейскими. Не сбавляя скорости на поворотах, машины вырвались из города и через некоторое время затормозили около старинного особняка для важных встреч.

В вестибюле посла и Шумилова с самой сердечной улыбкой приветствовал аль-Халиль, который работал в Министерстве иностранных дел Ливана, а раньше был послом в Москве.

Аль-Халиль часто приезжал в посольство. Отношениями с ним дорожили, щедро угощали водкой и икрой, потому что через него можно было без проволочек получить важную информацию, которая в расколотом войной Ливане была на вес золота.

— Замечательно выглядишь, Виктор! — Аль-Халиль хлопнул Шумилова по плечу, демонстрируя окружающим свои личные отношения с высокопоставленным русским. — В Москве столько перемен, только ты не меняешься.

Остальные члены группы приехали в Бейрут накануне. Рольник и Салим притащили оружие в двух больших сумках. Дитер каждому присвоил номер и объяснил, что предстоит сделать:

— Номер один — это я. Вооружение — один автомат и один пистолет. Номер два — Салим, один автомат, две ручных гранаты. Наша с ним задача — пробиться в конференц-зал и захватить министров. Номер три — Юсеф, один пистолет и взрывчатка. Он должен последовать за нами, заложить взрывчатку и подготовить все для взрыва по моему приказу. Номер четыре — Гюнтер, один пистолет и две гранаты. Он должен загнать всех, кто находится в коридоре, в конференц-зал, предварительно проверив их на наличие оружия. Когда это будет сделано, мы вместе обыщем все помещения. Номер пять — Фриц, один автомат и две гранаты. Он помогает Гюнтеру. Номер шесть — Петра, один автомат, она прикрывает вход.

Они расположились на полу, накрытом толстым ковром, и внимательно слушали Дитера. Никто не шутил, не улыбался. Несмотря на привычную браваду Рольника, все понимали, на что идут.

— Есть вопросы? — спросил Рольник. — Нет. Тогда пошли вздремнем.

У Гюнтера не было вопросов, но была одна просьба. Он хотел, чтобы в случае тяжелого ранения, которое сделало бы его калекой, его бы немедленно застрелили. И еще Гюнтер попросил Рольника обязательно забрать с собой раненых, даже если они будут говорить, что не перенесут дороги. Если погибать, то лучше в дороге, среди своих, чем в тюрьме.

Так и было решено. Всем кроватей не хватило. Фриц и Юсеф улеглись прямо на полу.

В субботу Гюнтер сходил еще раз осмотреть здание, где соберутся министры, кое-что купил и вернулся. Фриц сказал ему, что операция отложена на воскресенье. Тогда он опять ушел и гулял весь день по городу.

Фриц и другие ужинали, Гюнтер есть отказался. Все стали над ним смеяться, потому что и накануне вечером он тоже не проглотил ни куска. Но это было мудрое решение, которое, как оказалось позднее, спасло ему жизнь. Гюнтер знал со времен службы в бундесвере: при ранении в живот выживает тот, чей желудок пуст.

Ровно в полночь Рольник достал бутылку виски, чтобы отметить день рождения Гюнтера. Именинник выпил две порции и ушел в свою комнату. У него было непраздничное настроение, и он хотел, чтобы его оставили в покое. Этой ночью Гюнтер чувствовал себя совершенно одиноким, ему было чертовски грустно.

В семь утра его разбудили и велели еще раз сходить и убедиться, что на заседании присутствуют министры из Ирана и Саудовской Аравии. Гюнтер узнал, что они приехали, и побежал назад. Там вовсю шла подготовка. Все снаряжение, включая автоматы и взрывчатку, надо было тащить на себе. Это был большой груз, и выглядели они странновато со своими сумками.

У входа в особняк стоял молоденький полицейский-ливанец в парадной форме. Рольник по-английски вежливо сказал полицейскому «здравствуйте». Увидев группу иностранцев, тот решил, что это участники встречи, взял под козырек, и они беспрепятственно прошли внутрь.

Внизу у лестницы толпились люди, в которых без труда можно было признать журналистов. Рольник осведомился у них по-английски, началось ли заседание. Они ответили утвердительно. Тогда Рольник деловито расстегнул молнию на своей спортивной сумке и вытащил автомат. Это было сигналом к началу операции. Они все достали оружие и бросились вверх по лестнице.

Переступив порог здания, Гюнтер ни слова не произнес по-немецки. Он выучил несколько английских фраз и надеялся ими обойтись. Он не хотел выдавать своей национальной принадлежности, потому что рассчитывал в конце концов вернуться в Германию.

Первые выстрелы прозвучали почти сразу же — возле лифтов, где действовала Петра. Стоявшие у лифта люди не спешили подчиниться ее приказу, и она, не раздумывая, нажала на спусковой крючок. Несколько человек рухнули на пол. Двое или трое из них были убиты. Точный счет в данном случае не имел для нее значения.

Гюнтер сбросил пальто и надел маску. Теперь выстрелы загремели в конференц-зале. Безоружный ливиец бросился на Рольника. Дитер выстрелил ему в плечо, а потом, разозлившись, вогнал в раненого и безоружного ливийца весь магазин.

Гюнтер занялся теми, кто стоял в фойе. Там было человек семь-восемь. Одна женщина с кем-то говорила по телефону. Мужчин он стволом пистолета отогнал в угол, а женщине приказал бросить трубку и поднять руки. Испуганные выстрелами мужчины сгрудились в углу, но с женщиной вышла незадача.

Ему никак не удавалось втолковать этой молодой смуглой даме с надменным взглядом, что сейчас не время звонить по телефону. Она не желала этого понять. Фриц, который должен был ему помочь, куда-то исчез. И ему приходилось одним глазом следить за мужчинами, а другим за говорливой дамой.

Она совершенно не испугалась нападения и продолжала себе названить кому-то по телефону. Он выстрелом из пистолета разбил стоявший перед ней аппарат. Она схватилась за другой. Гюнтер почувствовал, как в нем закипает ненависть. Еще минута, и он выстрелит в нее. И тогда он выпустил магазин по всей батарее телефонных аппаратов. Она испуганно отскочила и присоединилась к остальным.

Гюнтер потратил на нее почти минуту. За это время его самого могли преспокойно застрелить, ведь он еще не проверил, есть ли у них оружие.

Он вспомнил свои скудные познания в английском языке и скомандовал:

— Снять пиджаки!

Пистолетом указал на противоположную стену. Один за другим они выходили вперед и снимали пиджаки. Удостоверившись, что оружия нет, он по одному запускал их в конференц-зал.

Тут Гюнтер заметил, что один из мужчин пытается улизнуть. С поднятыми руками он медленно отступал в сторону выхода. Гюнтер решил, что не станет ему мешать: пусть уходит. Заложников предостаточно.

Но в этот самый момент у входа появилась Петра Вагнер, возбужденная первой пролитой кровью. Она поступила на редкость глупо. Увидев, что человек пытается бежать, она, вместо того чтобы прицелиться с безопасного расстояния, ткнула в него автоматом и приказала вернуться в здание. Но тот не растерялся и мгновенно перешел в наступление. Он ловко схватил Петру, не давая ей выстрелить, и потащил ее к выходу.

Гюнтер бросился к ним и услышал выстрелы. Петра все-таки сумела выстрелить буквально в упор. Мужчина рухнул, и Петра упала вместе с ним.

Гюнтер увидел, что тот, оказывается, был вооружен. Пиджак задрался, и стала видна наплечная кобура с матово блестевшей рукояткой пистолета. Гюнтер нагнулся и вытащил пистолет из кобуры, недоумевая, почему он не пустил оружие в ход.

Виктор Шумилин стоял с поднятыми руками и с ужасом наблюдал за происходящим. Посла Вавилова как почетного гостя сразу провели в зал заседаний, и он не знал, что с ним сделали террористы.

Шумилин и аль-Халиль задержались в фойе, и здесь их прихватили. Смельчак аль-Халиль решил бежать, чтобы вызвать подмогу...

Шумилин смотрел, как кровь растекается вокруг головы аль-Халиля. Аль-Халиль был еще жив и страшно хрипел. Шумилина мутило, он отвернулся.

Гюнтер, теперь уже без проверки, поспешно загнал всех в конференц-зал и принялся обыскивать комнаты. К этому времени подоспел Рольник и стал ему помогать. Но вскоре они бросили это занятие, потому что комнат было много, а времени мало.

Рольник вернулся в конфренц-зал, а Гюнтер вместе с Фрицем заняли оборону у закрытых дверей. Теперь следовало подождать, пока власти не вступят с ними в переговоры, чтобы узнать, зачем они сюда явились и чего, собственно, они хотят.

Террористы контролировали все подходы к конференц-залу, и профессионалы должны были понять, что освободить заложников силой будет непросто.

Гюнтер выглянул из-за колонны и увидел четырех бравых полицейских в стальных касках с автоматами в руках. Им бы в кино играть, а не служить в элитном подразделении ливанской полиции. Они вошли в здание и озирались.

У Гюнтера было три возможности. Он мог расстрелять их из укрытия, потому что пуленепробиваемые жилеты не спасают от прямого попадания, мог забросать их ручными гранатами, а мог просто отступить.

Он предпочел отодвинуться за колонну и стал перезаряжать пистолет. В эту минуту раздались автоматные очереди. Стреляли полицейские. Зачем они это делали, было непонятно. Прорваться к заложникам они не могли: без ручных гранат здесь нечего было делать. А бросать гранаты им не разрешалось — можно задеть заложников.

Но стрелять им тоже не следовало. Автоматные пули летели во все стороны, и, если хотя бы одна залетела в конференц-зал, Рольник сразу бы отдал приказ взорвать здание, решив, что Гюнтер и Фриц уже убиты.

То, что у террористов, захвативших здание, могут быть гранаты, видимо, не приходило полицейским в голову, иначе они бы вели себя осмотрительнее. Но они продолжали поливать коридоры огнем, и все кончилось тем, что Гюнтер получил рикошетом пулю в живот.

Он выпустил пистолет из рук, вытащил рубашку из брюк и осмотрел рану. Это была не дырка, а, скорее, щель, окруженная рваными кусками мяса. Кровь пока не шла. Он подумал: вот дерьмо. И для начала выкурил сигарету. Боли не было, как будто бы ничего не произошло.

Фриц, которому он показал рану, сразу заорал:

— На помощь, Дитер!

Полицейские продолжали палить во все стороны, как будто им приказали снести здание до основания. Рольник выскочил, оценил обстановку, что-то прорычал Фрицу и опять исчез в конференц-зале. Фриц равнодушно швырнул в фойе одну за другой две гранаты. Свет погас, и в головах полицейских наконец-то прояснилось. Прекратилась бессмысленная пальба. Полиция вступила в переговоры.

Один из нефтяных министров, врач по профессии, наскоро осмотрел Гюнтера. Рольник спросил, сможет ли Гюнтер уйти из здания на своих ногах.

— Нет, — твердо ответил министр. — Ему нужна операция, и как можно скорее. Пока что не давайте ему ни есть, ни пить.

Рольник приказал Гюнтеру сидеть в конференц-зале и охранять заложников. Но теперь живот стал болеть. Гюнтер начал слабеть, его мучила ужасная жажда. Когда он почти потерял сознание, Рольник забрал у него бумажник и оружие, сказал:

— Иди.

Гюнтер, покачиваясь, вышел в фойе. Там совершенно открыто стояли полицейские, как будто ожидая, чтобы их кто-нибудь пристрелил. Полицейский офицер спросил его, не заложник ли он. Гюнтер помотал головой. Сел прямо на пол, натянул пиджак на голову и перестал отвечать на вопросы.

Он еще увидел, что несут носилки, и окончательно вырубился. Во время рентгеновского обследования он на короткое время пришел в себя. Какие-то типы снимали с него отпечатки пальцев, а он не давался.

Сначала врачи с ним что-то делали, потом его опять стали фотографировать, а чтобы он при этом открыл глаза, они дергали трубки, которые отовсюду торчали из него. Это вызывало дикую боль.

Врачи связались с Рольником и сказали, что Гюнтер не переживет перелета, поэтому они не дают согласия на его транспортировку. Потом с Рольником связался командующий христианской милицией Ливана Башир Амин и дал ему честное слово, что как только Гюнтер будет транспортабелен, то он сможет беспрепятственно выехать в любую страну по собственному выбору.

Рольник не стал обсуждать это предложение и сказал Баширу, что требует доставить Гюнтера в самолет к моменту вылета. Живым или мертвым.

Это было правильное решение, решил Гюнтер впоследствии. В тюрьме он бы непременно загнулся.

Когда его привезли к самолету, он был скорее мертв, чем жив. Газеты писали, что Гюнтер не выживет. На самом деле через пять дней он поднялся на ноги, а еще через пять дней с него сняли швы.

ГЛАВА ПЯТАЯ

Хайнц Риттген, новый начальник западногерманской контрразведки, был спокойным и жестким человеком. Он потратил немало сил на то, чтобы уменьшить масштаб ущерба, нанесенного бегством его предшественника Вилли Кайзера.

Риттген пригласил к себе Кристину фон Хассель.

— У меня есть сведения, что этот знаменитый Гюнтер на самом деле остался в Ливане. Никуда они не улетели, а обосновались где-то в долине Бекаа. Вместе с Гюнтером находятся и известный нам Рольник, и Петра Вагнер. Можно предположить, что они готовятся к новой акции. Мне бы не хотелось, чтобы они повторили бейрутский налет у нас в стране.

Кристи слушала его очень внимательно, хотя читала те же материалы, что и Риттген. Она уже догадалась, что ей предстоит дорога в Бейрут.

— В том, что сейчас происходит в Бейруте, сам черт ногу сломит, поэтому будьте крайне осторожны, — сказал Риттген. — Но при таком многообразии интересов найдутся силы, которые захотят нам помочь отыскать людей из «Революционных ячеек».

Риттген прошелся по комнате и пояснил свою мысль:

— Подумайте о Башире Амине. Для него нападение террористов на министров, которые собрались в зоне его ответственности, — личное оскорбление. Он полон жажды мести и мечтает расквитаться со своими врагами — сирийцами и палестинцами. Возможно, он тот самый человек, который нам нужен. Наши интересы сходятся. Он хочет избавиться от тех, по кому плачут наши тюрьмы. Попробуйте установить с Баширом контакт.

Бейрут показался Кристине пустыней. После стольких лет гражданской войны люди предпочитали лишний раз не выходить на улицу. Только дети бесстрашно играли среди бетонных развалин. В этом городе винтовка рождала власть. А винтовок было много.

Война разорвала некогда процветавший Ливан на клочки, каждый из которых превратился в самостоятельное княжество под управлением какого-нибудь сильного человека, достаточно богатого и решительного для того, чтобы обзавестись собственной армией.

Кристина поселилась в сравнительно тихом отеле «Александр», где останавливались европейцы и богатые провинциальные ливанцы, приезжавшие в столицу по делам.

Кристина приехала в Бейрут с корреспондентским удостоверением немецкого радио. Она попросила организовать ей интервью с Баширом Амином, и это оказалось не трудной задачей. Вниманием иностранных корреспондентов в Ливане дорожили все.

Окольным путем она отправила письмо Конни. Через три дня услышала зашифрованный ответ по радио: Конни желал ей успеха, счастливого пути и просил быть поосторожнее. Кристи была счастлива. Она жила ожиданием скорой встречи.

Из своего дворца, возвышающегося над ливанским городом Джуния, патриарх христиан-маронитов мог любоваться прекрасным видом на побережье. Из дворца патриарха Ливан казался таким же прекрасным, каким он когда-то был. С такой высоты разрушения, причиненные стране кровавой гражданской войной, были еле различимы в дымке.

У ворот похрапывал сторож. Он спал в нижнем белье, откинув противомоскитную сетку. Пели сверчки. Перед входом стояла базарно-яркая статуя мадонны, заросшая вьющимся кустарником.

Через ворота в резиденцию вливался нескончаемый поток посетителей с серьезными, сосредоточенными лицами. К ним просоединилась Кристи. Отчаявшиеся просители, растерянные священнослужители, потерявшие мужество политики — все надеялись получить совет от патриарха.

Патриах старался сохранять отношения с мусульманами и призывал жаждущих крови предводителей христианских вооруженных подразделений к умеренности. Патриах надеялся на согласие между мусульманами и христианами, оставаясь во все большем одиночестве. Патриарх не соглашался благословить восстание христиан против мусульман. Он не хотел превращаться в предводителя партизанской борьбы.

Горячие маронитские головы упрекали его в нерешительности. Он предпочитал сдержанность. Но он не был отрешенным от мирских забот князем церкви, который произносит далекие от интересов прихожан елейные проповеди о пастыре и его пастве.

Патриарх был сам себе хозяином. Он мог говорить тогда, когда другим приходилось молчать.

— Я не буду участвовать в окончательном разрушении и без того истерзанной страны, — повторял патриарх своим единоверцам. — Все мы прежде всего ливанцы.

Радикальные христиане смотрели на дело иначе. С тех пор как их веру основал в конце четвертого века монах Мар Марон, объявленный позднее святым, они постоянно подвергались преследованиям.

Эту католическую секту в пятом веке изгнали из Сирии, и она нашла убежище на территории современного Ливана. Марониты закалились в борьбе за выживание. С отвагой безумцев они восставали и против властителей Византии, и против римских пап.

Но когда они сами с помощью французов пришли к власти в Ливане, то не проявили великодушия к друзам, суннитам и шиитам. Конституция страны закрепила за христианами место президента. Они занимали важнейшие посты в армии и в финансовом мире. Представитель мусульманской общины получал пост премьер-министра и формировал правительство.

Христиане процветали в Ливане. Последнее слово всегда оставалось за ними, и мусульмане чувствовали себя ущемленными. Но мусульманское население росло быстрее христианского, и времена изменились. Теперь уже мусульмане стали мечтать об освобождении Ливана от христиан.

Кристи тоже получила аудиенцию у патриарха.

Пожилой маленький человек в одеянии, доходившем ему до лодыжек, излучал тихий авторитет. Он пожаловался Кристи на то, что западный мир оставил на произвол судьбы свой форпост на Востоке.

— Ливан — это необычная страна, — говорил патриарх тихим голосом. — Если здесь в Ливане три мировые религии, семнадцать конфессий не смогут жить в мире, то это будет дурным примером всему человечеству. Разве у мировой общественности нет никаких обязательств перед Ливаном? Неужели никто не чувствует себя призванным помочь нам?

На вопрос, заданный Кристиной, о Башире Амине патриарх с отеческой улыбкой заметил:

— Слишком молод и горяч. Но он думает о будущем Ливана.

После аудиенции во дворе патриаршего дома Кристину ждала удивительная встреча. Петра Вагнер, подруга ее детства, как ни в чем не бывало сидела за рулем своего автомобиля и наблюдала за тем, что происходит в доме патриарха.

Кристи не заметила и не узнала бы Петру: та коротко постриглась, сильно похудела и загорела дочерна. Но Петра узнала Кристи и бросилась к ней. Петра рада была увидеть знакомое лицо. Ей нужно было с кем-то поговорить. И, кроме того, Кристи ей нравилась. Она вызывала у нее сильное желание.

Петра увела Кристи в свою машину с ободранным крылом, но исправным кондиционером и, не спрашивая, желают ли ее слушать, начала рассказывать. Она говорила горячо и сбивчиво. Кристи слушала ее с затаенным сочувствием. Даже в жестоком мире террора люди страдали от неразделенной любви.

После захвата нефтяных министров Гюнтер стал в арабском мире героем. Сама операция ничем не закончилась. Рольника заставили освободить министров, не причинив им никакого ущерба, и палестинцы получили значительно меньше денег, чем они рассчитывали.

Но имя Гюнтера с восхищением произносилось на всем Арабском Востоке. Для палестинцев большое значение имело его мужественное поведение после ранения.

Гюнтер не жаловался, получив пулю в живот, не кричал и не плакал, а продолжал охранять заложников. За ним укрепилась репутация смельчака и героя. Когда он немного поправился и смог ходить, началась его триумфальная поездка по некоторым арабским странам.

Министр иностранных дел одной страны пригласил его на ужин, президент другой страны предоставил ему личный самолет для поездки со всеми удобствами. У трапа Гюнтера встречала целая свита, и телевизионная съемочная группа ловила каждый его шаг.

Гюнтер обедал с начальниками секретных служб, которые охотно откликались на все его просьбы. Он жил в правительственных резиденциях с охраной и ездил на бронированных лимузинах. Это была жизнь героя, и он, вне всякого сомнения, наслаждался такой жизнью.

Но постепенно Гюнтер стал ощущать себя умелым наемником, который оказал своим хозяевам важную услугу. Разговоры с местными правителями смущали его. Они наслаждались властью и забыли о том, ради чего они завоевали власть в долгой и беспощадной борьбе за независимость своей страны. Пышные приемы в нищем государстве казались Гюнтеру отвратительным расточительством.

Постепенно с Гюнтера спал весь революционный энтузиазм. Он стал тяготиться своей ролью героя. И принял решение выйти из этой игры. Прямо посреди пустыни в окружении людей, которые не понимали этого шага и еще меньше хотели ему помочь уйти.

Он попросил перевести его из уютного особняка Жоржа Хаббаша в тренировочный лагерь, где все жили в спартанских условиях. В доме его раздражало угодничество перед начальниками. Хаббаш возглавлял палестинскую боевую организацию «Народный фронт освобождения Палестины», которая тесно сотрудничала с немецкими «Революционными ячейками».

Гюнтеру была предоставлена полная свобода, ему прощалась даже некоторая наглость, потому что Хаббаш обращался с ним, как с сыном. Хаббаш распорядился, чтобы Гюнтера всячески обихаживали, и следил за тем, чтобы он не перенапрягался.

Большую часть времени сам Жорж Хаббаш проводил в разъездах. Он старался получить от жизни все удовольствия, которые можно купить за деньги. У него и у тех, кто его окружал, было то, чего начисто лишили рядовых бойцов, — наличные деньги, кредитные карточки, драгоценности.

Иметь деньги — эта привилегия распространялась только на нескольких немцев, которые руководили обучением. Остальным немцам денег тоже не давали.

Вождь был просто без ума от Гюнтера. Почему — одному только богу известно. Это не могло быть связано с одной только операцией в Бейруте.

Возможно, все дело было в том, что Гюнтер не желал вести себя так же почтительно, как это делали другие. Когда в особняке садились есть, а трапезы всегда были общими, то перед Хаббашем ставили самые лакомые и дорогие блюда. Никто не решался притронуться к ним, пока он не насытится.

Гюнтер, напротив, садился рядом с Хаббашем и старательно налегал на еду. Кроме того, Гюнтер постоянно жаловался Хаббашу на недостойное обращение командиров с рядовыми палестинцами, а сам никому не позволял себе приказывать.

Гюнтер провел в лагере больше полугода с небольшими перерывами. Для начала он прошел четырехнедельный курс военной подготовки вместе с другими немцами — скидки на его слабость никто не делал, хотя после ранения прошло всего полтора месяца.

Эти четыре недели были тяжелыми. День начинался в пять часов утра получасовой пробежкой, затем час политзанятий, и еще полтора часа они постигали искусство ближнего боя — с оружием и без него. Перед обедом изучалось взрывное дело. После обеда — стрелковое дело, автомат Калашникова, пистолеты Макарова и Вальтера. Затем им предлагалось самим собрать взрывное устройство с часовым механизмом. Они учились бросать ручные гранаты и подкладывать мины. Они тренировались до полного изнеможения. Многие получили легкие ранения во время занятий со взрывчатыми веществами.

Потом Гюнтера самого сделали инструктором. Он обучал группу из семи новичков, прибывших из Западной Германии, обращению со всеми видами оружия, имевшимися в наличии.

Немцы приехали на четыре недели и намеревались сразу после завершения курса вылететь назад. Но Хаббаш уехал. А без его приказа никто не мог покинуть лагерь. Немцы скисли, но ничего поделать не могли. Они надолго застряли в лагере.

Через два с лишним месяца они стали устраивать колоссальные скандалы, чтобы их выпустили. Встревоженные палестинцы связались с Хаббашем, и он разрешил им улететь. Вместе с ними хотел уехать и Гюнтер. Но его не отпустили. И тогда с ним что-то произошло. Он заболел. Это была душевная болезнь.

Нет ничего позорного в депрессии. Это серьезная болезнь, а не помешательство, как многие полагают. Принять одно за другое — это все равно что спутать сердечный приступ с болью в желудке.

Пока не испытаешь сам, что такое депрессия, не поймешь, какие страдания причиняет эта болезнь. Гюнтер быстро сообразил, что рассказывать о своих страданиях бесполезно — это все равно что пытаться описать зубную боль тому, кто никогда не сидел в кресле у дантиста.

У Гюнтера все началось с потери сна. Он попросил дать ему какие-нибудь таблетки. Молодой веселый парень, выполнявший в лагере обязанности врача, притащил из города упаковку тазепама. Это было сильное средство, оно помогло. Он спал, но это был странный сон без сновидений, какой-то ненастоящий. Гюнтер отказался участвовать в тренировках, тупо сидел на занятиях, утром не мог подняться.

Его повезли в город. Врач-палестинец с золотыми зубами, учившийся в Москве, поставил диагноз: у Гюнтера депрессия. Врач прописал ему антидепрессанты.

Депрессия не оставляет никакой надежды, а надежда необходима для того, чтобы вылечиться. Гюнтер каждый день, глядя на листочек с назначениями врача, равнодушно пил таблетки. У него не осталось ни эмоций, ни чувств. Иногда он весь день проводил в постели. Он убедил в себя в безнадежности своего положения и обижался, когда кто-то с ним не соглашался.

В лагере все его сторонились. Только Петра Вагнер заботилась о нем. Она была равнодушна к мужчинам, ее тянуло к женщинам. Но Гюнтер все-таки был для нее близким человеком. Он привел ее в подполье.

Ради Гюнтера Петра попробовала изменить свою жизнь. Палестинцы выделили им маленький домик. Она перевезла туда Гюнтера, ездила в город за продуктами, готовила ему еду и каждый день упрямо ложилась с ним в постель. У них ничего не получалось. Петра и не рассчитывала получить удовольствие, но надеялась, что Гюнтеру эта терапия поможет.

Говорил он мало. Сидел рядом с ней и слушал ее рассказы. Иногда она заставала Гюнтера на кухне. Он стоял, прижавшись лицом к запотевшему стеклу, и во что-то взглядывался. Бог знает, что он там видел.

Она каждый день меняла постельное белье, но ненавидела мыть посуду. Он не мог понять, в чем тут дело, но ничего не спрашивал. Гюнтер ничего не хотел знать.

Рольник приехал его навестить и решил, что они с Петрой неплохо обосновались. В принципе это был хороший повод для того, чтобы выпить. Рольник раздобыл Гюнтеру выпивку, которая была запрещена в лагере. Он привез бутылку в чемоданчике из-под складного автомата. Это была хорошая немецкая водка. Но и пить Гюнтеру тоже не захотелось.

Он валялся на кровати, уткнув лицо в подушку, не брился, не причесывался, мало ел и сильно ослабел. Так продолжалось три месяца, но однажды вечером Гюнтер вдруг встал с кровати, побрился, сменил рубашку и вышел на улицу.

Место, где Петра всегда ставила машину, было пустым. И он стал думать, куда же она могла деться. Иногда она вдруг поздно вечером уезжала в лагерь и возвращалась, когда он уже спал.

А не поехать ли и ему куда-нибудь? Эта мысль пришла к нему вместе с ароматом кофе — он включил кофейник, как только вернулся в дом.

В первый момент он даже не мог вспомнить лицо Петры и понять, каким образом он вообще попал на эту кухню с моющимися обоями в цветочек. Он подышал на оконное стекло и вывел на нем свои инициалы.

Кофе получился крепким и сладким. Он налил себе еще одну чашку и закурил. Первая после долгого перерыва турецкая сигарета показалась необыкновенно вкусной. Все удовольствия сразу. Гюнтер курил и смотрел в окно. «Иногда бывают дни, когда словно ничего не происходит», — раздраженно подумал он.

Потом он услышал шум подъезжающей машины. Петра вела машину медленно и осторожно. Гюнтер вышел на крыльцо с кофейной чашкой в руках и наблюдал за тем, как она парковалась. Она вылезла из машины с сумкой в руках и удивленно посмотрела на Гюнтера. Волосы у нее были растрепаны.

— Выключи фары, — спокойно сказал Гюнтер.

Она вернулась к машине, открыла дверцу и, встав коленями на сидение, стала искать кнопку. На ней была короткая юбка, и он увидел ее ноги.

В сумке, которую привезла Петра, была еда.

— Я купила свежего мяса, лепешки и овощи, — сказала она, — ты совсем отощал. Тебя надо хорошо кормить.

Ночью впервые за эти месяца Гюнтер ощутил себя мужчиной. Он стащил с Петры ночную рубашку и с силой прижался к ней всем телом. Она почувствовала прикосновение горячего и твердого зверя и обняла Гюнтера. Он нежно целовал ее в шею и грудь, вдыхал запас ее волос. Она гладила его спину и шептала:

— Мой! Ты мой, только мой! Я люблю тебя.

Он вонзился в нее и почти сразу же испытал забытое чувство полного счастья. Она охотно подчинилась мужчине. Обхватила его руками и требовательно прижала к себе. Она двигалась в такт с ним.

Впервые в жизни ей было хорошо с мужчиной. Она, не стесняясь, кричала, и ей становилось все лучше и лучше. Она вся горела, они стали как одно целое, двигаясь в одном им понятном ритме. Она принадлежала ему, а он принадлежал только ей. После долгого воздержания у него все закончилось очень быстро, но для нее это не имело особого значения. Ей было важнее ощущать себя желанной.

Когда Гюнтер заснул, она продолжала тихонько целовать его, уже спящего. Простая мысль пришла ей в голову: если она все-таки способна быть счастливой с мужчиной, то зачем ей вести такую глупую жизнь? Зачем ей этот лагерь, если они могут вернуться в Германию и начать все заново?

Утром она сказала:

— Тебе надо на мне жениться. Мы можем уехать и начать новую жизнь.

Против обыкновения Петра мыла тарелки после завтрака и, не вытирая, ставила их на полку сушиться.

— У могу родить ребенка. Еще не поздно.

Она улыбнулась, словно сказала что-то смешное.

Гюнтер встал и прошел в комнату. Закрыл за собой дверь. Он вытащил из-под кровати дорожную сумку. Она пришла и стояла в дверях, наблюдая за тем, как он укладывает вещи. Вещей было мало.

— Я возвращаюсь в лагерь, — пояснил он.

Она посмотрела на него. Лицо ее было спокойным, и он решил, что прощание будет легким.

— Закрой за мной, — сказал он, — я ухожу.

На дно сумки он спрятал бутылку водки. Он уже представил себе, как сделает два больших глотка прежде, чем заведет двигатель. В этот момент Петра подошла к нему и начала вытаскивать из сумки все его пожитки. Ее руки тряслись.

— Сукин ты сын, — сказала она, убирая в шкаф его куртку, свитер, рубашки и джинсы.

Гюнтер посмотрел на нее. Она была слишком некрасива и груба для него. Зачем ему лесбиянка, которая все равно никогда не научится любить мужчину? Он повернулся и вышел. Он взял ее машину и уехал. В лагерь к палестинцам он не вернулся, а обосновался где-то в Бейруте.

Петра плакала навзрыд. Кристи была первой, кому она решилась все это выложить. Кристи в состоянии была ее понять. Депрессия у Гюнтера прошла, он больше в ней не нуждался. Для нее это был удар. Попытка начать нормальную жизнь не удалась.

Кристи увезла Петру к себе в гостиницу. Три года назад то же самое она сделала из сострадания. На сей раз руководствовалась только интересами дела. Одна из самых опасных в мире террористок готова была выплакаться ей в жилетку. Как же можно было упустить такую возможность?

По дороге Кристи сказала Петре, что устроилась на радио, занимается международной журналистикой, хорошо зарабатывает и очень довольна.

Когда они добрались до Бейрута, была уже ночь. Гостиничный бар, где продавали спиртное, закрылся. Но Кристи позвонила дежурному, и тот прислал официанта с бутылкой виски, льдом и содовой. Дамских напитков у запасливого дежурного не оказалось. В Бейруте по ночам женщины не требуют выпивки. Зато официант притащил большое блюдо с очищенными и нарезанными фруктами.

Голодная Кристи глотала ломтики яблок и груш. Груши были сочные, яблоки вялые. Петра есть не стала. Выглядела она ужасно. Кристи вытрясла ей в стакан побольше льда, налила на два пальца виски и добавила содовой. Петра храбро сделала большой глоток и закашлялась. Вновь поднесла стакан к губам и выпила свою порцию. Потом опустила стакан и заплакала.

Ее словно прорвало, она рыдала, что-то кричала и бормотала. Ее всю трясло. Это была настоящая истерика.

Кристи смотрела на Петру с сочувствием. Перед ней сидела не опасная террористка, а глубоко несчастная женщина, которая вдруг поняла, что она никому не нужна, что у нее нет и не будет семьи, что природа и судьба лишили ее обычного женского счастья.

Кристи перерыла всю сумочку в поисках успокоительных таблеток, но ничего не нашла. Тогда она заставила Петру допить виски. Последние шесть месяцев Петра безвылазно провела в лагере, где царил сухой закон, и с непривычки мгновенно опьянела. Она начала сползать со стула, и Кристи помогла ей добраться до кровати.

Все было, как тогда, несколько лет назад, когда Кристи привезла ее из тюрьмы. Только Кристи за это время стала другой. Ей нужно было, чтобы Петра заговорила. Она легла рядом с Петрой, прижалась к ней и стала гладить ее волосы, лицо, шею. Она нашептывала ей на ухо что-то приятное. Пьяненькая Петра обняла Кристи. Она так нуждалась в сочувствии и утешении.

Кристи целовала Петру и спрашивала ее — о жизни, друзьях, планах. Кристи уже была опытной женщиной. Она понимала, на какие кнопки надо нажать, чтобы Петре стало хорошо. Она работала с податливым телом Петры, как старательный музыкант с любимым инструментом. И Петра отзывалась. Ей стало жарко и сладко, она сбросила с себя юбку, блузку, лифчик, трусики. Она просила Кристи не останавливаться. Она говорила. Она говорила все, что она знала. Салим и Рольник задумали новое дело.

Когда Петра добралась до вершины, Кристи оставила ее в покое. Она прикрыла Петру одеялом, умылась и пошла в соседнюю комнату спать. Кристи осталась совершенно спокойной. Она просто работала.

Утром Петра, у которой раскалывалась голова, решительно ничего не могла вспомнить. Кристи, напротив, помнила все, что она узнала от Петры Вагнер.

Начальник управления нелегальной разведки генерал Калганов был очень доволен последними телеграммами из Бейрута.

— Кристина дает хорошую информацию по Ливану. Надо ее поблагодарить. Я дал указание разрешить Целлеру командировку в Бейрут. Кристина пробудет в Бейруте долго. Пусть Целлер порадует девушку. Она заслужила.

— Я категорически против, — немедленно ответил полковник Федоровский.

Это он руководил работой Кристины фон Хассель. Он даже был с ней знаком и регулярно встречался с важным агентом. Правда, Кристина знала его как «Григория Алексеевича». В реальности полковника звали Игорем Мокеевичем.

— Это почему же? — недовольно спросил Калганов.

— Очень опасно, — ответил Федоровский. — Когда они встречаются в Австрии, шансы провала невелики. Но в Ливане все западные люди на виду. Совсем не надо им показываться вместе.

Калганов разозлился. Федоровский отвечал за безопасность агента, и пренебречь его мнением было невозможно. Но и отказываться от своих слов Калганов не любил. Когда в достаточно молодом возрасте достигаешь генеральского звания и становишься начальником управления, то быстро привыкаешь к тому, что твои слова немедленно принимаются к исполнению, а не оспариваются подчиненными.

— Хорошо, — сквозь зубы сказал Калганов. — Я отменяю распоряжение о командировке Целлера. Но в Ливан поедете вы. С Кристиной нужно работать. Там трудная оперативная обстановка. Она нуждается в повседневном оперативном руководстве.

Когда капитану Целлеру, который уже оформлял заграничный паспорт, сказали, что его командировка отменяется, он чуть не заплакал. Для него это был ужасный удар. Ежегодные загранкомандировки составляли главное удовольствие его жизни.

А полковник Федоровский, напротив, был счастлив. Генерал Калганов думал, что унижает Федоровского, отправляя его всего лишь заместителем резидента, хотя полковник вполне мог рассчитывать на самостоятельную должность резидента. Но Федоровский давно рвался на оперативную работу. Он засиделся в центральном аппарате.

Поздно вечером во вторник шифровальщик резидентуры советской политической разведки в Бейруте получил срочную телеграмму из центра. На телеграмме была пометка — «только для резидента». Шифровальщик понял, что придется вызывать резидента в посольство, лишив того возможности приятно провести вечер.

Советник посольства в Ливане Олег Червонцев находился на приеме, устроенном в честь пятидесятилетия крупного банка. Он поехал на прием вместе с женой — молодой высокой блондинкой.

Для Червонцева это был второй брак. Его первая жена, которой он обязан своей карьерой, умерла от рака. Она уехала в Москву, чтобы проследить за дочкой, поступившей в институт, и почувствовала себя плохо. Врачи, сделав анализы, положили ее в больницу. Но было поздно, она сгорела буквально в два месяца. Червонцев прилетел уже на похороны.

Вторая жена, бывшая машинистка из секретариата Министерства иностранных дел, была младше Олега на двадцать лет и выше на пять сантиметров. Посол Вавилов, увидев ее, меланхолически заметил:

— Тощие высокие блондинки доводят мужчину до инфаркта быстрее выпивки и сигарет.

Личный помощник посла, худой, как щепка, ухмыльнулся в знак полного согласия с шефом. Посол ошибся. Инфаркты случаются не от блондинок.

В советском посольстве все решили, что история с захватом заложников на конференции нефтяных министров закончилась для посла Вавилова благополучно. Его выпустили с первой группой заложников, освобожденных террористами. В него не стреляли, его не били. Терорристы даже не знали, что среди заложников оказался советский посол.

Но ужасный день, проведенный под дулами автоматов, сломал Михаила Петровича Вавилова. Страх, который он испытал, нельзя сравнить с обычным страхом, который время от времени испытывают люди.

В тот день посол не сомневался, что его убьют. Он постоянно думал о том, как именно это произойдет. Он представлял себе, как его тело обнаружат в луже крови после того, как полиция все-таки одолеет террористов.

Виктору Шумилову пришлось еще хуже. Ему, как и другим молодым мужчинам, завязали глаза. Это только усилило чувство беспомощности. Они поняли, что ничего не могут поделать. Если станут жаловаться, повязку завяжут еще туже или вообще изобьют. Они не знали, в какой момент и с какой стороны ждать новых мучений.

Каждый выстрел, крик, вопль, грохот, вообще любой шум усиливал страх. Человек не способен такое спокойно выносить. Эмоциональная система не выдерживает. И Вавилов, и Шумилов вышли из этой истории тяжело больными людьми.

После всего того, что с ними случилось, любое напоминание о том, что произошло тогда, немедленно возвращало их в состояние животного страха, пережитого в Бейруте.

На пятый день после освобождения у Вавилова развился обширный инфаркт. Он месяц пролежал в бейрутской больнице. Потом его вывезли в Москву и с почетом отправили на персональную пенсию.

Шумилов улетел в Москву первым самолетом. Но к работе в ЦК он не вернулся.

Врачи приехали к нему домой и, посмотрев на него, немедленно положили в больницу. Через три месяца, убедившись в том, что душевная болезнь приобрела хронический характер, Шумилова перевели в Институт марксизма-ленинизма. Для занятий наукой душевные переживания не помеха.

Олег Червонцев, женившись во второй раз, открывал для себя неведомые ему прежде радости бытия. На приеме они с женой отвели в сторону владельца большого автомобильного магазина. Командировка Червонцева заканчивалась, он знал, что в Москве уже подобрали ему замену, и потому занялся устройством хозяйственных дел. Сам он предполагал, вернувшись, купить в Москве «Волгу», но жена хотела «мерседес». Теперь Червонцев обрабатывал владельца магазина на предмет скидки.

В самый ответственный момент к Червонцеву подошел официант:

— Вас срочно просят подойти к телефону.

Чертыхнувшись, Червонцев последовал за ним. В буфетной он взял трубку.

— Олег Иванович, звонят из Министерства иностранных дел, хотят немедленно с вами связаться.

Червонцев узнал голос своего шифровальщика и понял, что сегодня договорить о «мерседесе» ему не удастся. Срочную шифровку из Москвы он обязан прочитать немедля.

Приехав на территорию посольства, Червонцев пошел не к себе в кабинет, а поднялся наверх, в помещение резидентуры. Это было несколько комнат без окон, звуконепроницаемых, оборудованных всеми системами защиты от подслушивания.

В шифротелеграмме из центра говорилось:

«В ближайшие недели следует ожидать попытки покушения на советских дипломатов и офицеров нашего советнического аппарата в сирийских войсках со стороны радикальных элементов палестинского движения.

Примите меры к обеспечению их безопасности. Лично посетите министра иностранных дел, а также командующего сирийским контингентом в Ливане и попросите обеспечить наших дипломатов и советников дополнительной охраной. К вам в помощь отправляем опытного сотрудника на вакантную должность заместителя резидента».

Дитеру Рольнику позвонили из Бейрута в тот день, когда он переехал на новую квартиру в Мюнхене. Западногерманская полиция и контрразведка были уверены, что Рольник, конечно же, давно покинул Германию. Интерпол искал его по всему миру, а он преспокойно жил в Мюнхене.

Ему, правда, сделали в Аммане пластическую операцию, палестинцы помогли обзавестись новыми документами, и он чувствовал себя достаточно уверенно. Каждое утро он плавал в бассейне, а потом возвращался домой завтракать. Едва он вошел в квартиру, как раздался телефонный звонок.

— Дитер, это я, Салим, — услышал Рольник, сняв трубку.

Большего и не требовалось. Голос Рольнику был хорошо известен.

— Дитер, ты нужен. У нас все готово. Ты можешь быстро присоединиться к нам?

Салим принадлежал к числу старых друзей. Последний раз они виделись три месяца назад в Багдаде. Тогда Салим изложил ему свой план и спросил:

— Я могу попросить тебя о помощи, если понадобится?

— Да.

Рольник многим был обязан Салиму.

— Ты по-прежнему можешь сам участвовать в операции?

— Разумеется.

Тут Рольник ухмыльнулся. Салим должен был знать, что Рольник действительно получал удовольствие, принимая участие в опасных операциях.

Дитер Рольник вовсе не был патологическим убийцей. Но он наслаждался тем, как замечательно его организм справляется с самой сложной задачей. Высшее удовольствие он получал от безумного напряжения операций, в которые его вовлекали.

Путь в Бейрут лежал через Кипр. Через неделю после звонка Салима Дитер Рольник прилетел на остров.

В аэропорту Ларнака Рольник, если он вез с собой взрывчатку или оружие, обычно договаривался со своими людьми, чтобы те провели его через линию таможенного контроля.

На сей раз он не должен был ни о чем беспокоиться. Салим не попросил взять с собой снаряжение, и Рольник прилетел налегке. Сам по себе Рольник выглядел настолько ординарно, что еще ни разу ни на одной таможне мира его не попросили открыть чемодан!

Возле остановки такси он увидел знакомое лицо — его ожидал Салим, высокий, совершенно не похожий на араба парень, с которым они познакомились три года назад. Салим обычно выдавал себя за испанца и путешествовал с ливийским или сирийским дипломатическим паспортом.

До Бейрута Салим и Рольник добрались на катере, которым командовал мрачный грек-киприот, не пожелавший даже взглянуть на пассажиров. Необычное для южного человека отсутствие любопытства объяснялось элементарной предусмотрительностью. Чем меньше капитан видел и запоминал, тем больше у него было шансов дожить до старости.

В Бейруте Рольника посадили в машину и вывезли из города. Разрушенный войной Западный Бейрут показался Дитеру пустым. Люди предпочитали не высовываться. Только дети играли среди развалин.

Дважды их машину останавливали. Один раз у заграждения, устроенного из бетонных блоков, документы проверили бдительные сирийцы. Во второй раз возле баррикады, возведенной из мешков с песком, ими заинтересовались палестинцы — молодые парни с усталыми глазами.

Машина пересекла так называемую зеленую линию,

отделяющую Западный Бейрут от Восточного. Христианский Восточный Бейрут был в лучшем состоянии: военных не было видно, люди прогуливались по цветущим улицам.

Рольник много раз приезжал в Ливан, по нескольку месяцев проводил в тренировочных лагерях в долине Бекаа.

На сей раз Салим собрал лучших людей. Все приехали порознь, в гражданской одежде, без оружия. Из немцев был еще Гюнтер из «Революционных ячеек».

Они расположились на старой вилле — хозяин предоставлял свой дом всем, кто нуждался в безопасном месте для важных бесед. Вся обслуга в доме принадлежала к одному клану, что почти гарантировало безопасность.

Возле виллы был бассейн. Дитер Рольник искупался, а затем устроился в увитой зеленью беседке, из которой открывался дивный вид на залив.

В Ливан полковника Федоровского по срочному указанию председателя КГБ оформили за неделю. Труднее всего было уговорить ливанское посольство в Москве быстро выдать ему визу. Долго объясняли ливанцам, что советский торговый представить должен немедленно вернуться в Москву, поэтому совершенно необходимо послать в Бейрут замену, чтобы не останавливалась работа.

Штат посольства в Ливане был укомплектован. Федоровскому подыскали единственную в тот момент вакантную должность заместителя торгпреда. Ее обладателю полагался дипломатический паспорт, что имело значение для «легального» разведчика. Была еще одна сложность — в принципе место замторгпреда обычно занимал сотрудник военной разведки.

Политическая разведка (Первое главное управление КГБ) и военная (Главное разведывательное управление Генерального штаба Вооруженных сил) давно поделили места в загранаппарате. Сотрудники политической разведки обычно работали под посольской крышей, сидели в представительстве Аэрофлота, были корреспондентами. Офицеры военной разведки занимали места в аппарате военного атташата, торгового представительства и в консульстве. Впрочем, это не было догмой. Иногда «крыши» делили и как-то по-другому.

Визу Федоровскому дали вовремя, а ничего не понимавшего торгпреда телеграммой срочно вызвали в Москву. Он приехал, растерянно ходил по кабинетам Министерства внешней торговли, и никто не мог ему внятно объяснить, зачем его вызвали.

Федоровский прилетел в Бейрут вечером, просидел несколько часов в посольстве. Поздно вечером его отвезли на выделенную ему квартиру.

Машину ему сразу не подобрали, и Федоровский, узнав в посольстве, кто обитает неподалеку, попросил ближайшего из соседей — корреспондента телеграфного информационного агентства Виктора Косенко — забрать его утром и отвезти на работу в посольский комплекс.

В условленное время Косенко позвонил в дверь торгпредовской квартиры. Раньше весь подъезд занимали советские, но после сокращений за ними остались только две квартиры — корреспондентская и торгпредовская. Косенко нажал на кнопку звонка несколько раз, Федоровский не открывал. В квартире было тихо.

«Спит после вчерашнего или, наоборот, встал рано и пешком пошел?» — недоумевал Косенко. У него была куча своих дел, и он нетерпеливо стукнул кулаком по двери, которая со скрипом распахнулась.

Незапертая дверь? На наших это было непохоже. Косенко не без колебаний переступил порог и тут же отпрянул.

Через полчаса взбудораженный Виктор Косенко был в посольстве. Скучающий молодой дежурный, сидевший за столиком с двумя телефонами, обрадовался корреспонденту:

— Какие новости из Москвы, Витек?

Корреспондент, который обычно старался ладить с посольскими, не подхватил шутливого тона.

— Червонцев на месте?

Дежурный, демонстрируя легкую обиду, снял трубку внутреннего телефона, набрал номер советника по политическим вопросам.

— Не отвечает.

— Где он может быть? У посла?

— Посол уехал в резиденцию. — Дежурный помялся. — Скорее всего, Червонцев поднялся на четвертый этаж... Жди, пока спустится.

— Звони туда, — потребовал Косенко. — У меня неотложное дело.

— Ты что? — засмеялся дежурный. — Не имею права.

— Тогда я сам поднимусь, — Косенко ринулся вверх по лестнице.

— С ума сошел? — дежурный поднялся со стула, чтобы остановить Косенко, потом решил, что, если корреспонденту нужны неприятности, пусть лезет на рожон.

Четвертый этаж обширного посольского здания не был похож на три остальные. Во-первых, на четвертый этаж не поднимался лифт. Во-вторых, в длинный коридор четвертого этажа выходили только две двери. На одной была табличка с надписью «Архив», но никто из посольских за справками туда не обращался. На второй, дальней, металлической двери надписи и вовсе не было. Отсутствовала и ручка. Только глазок и отечественный звонок с облупившейся краской.

Косенко в первый раз оказался на четвертом этаже. Он проскочил мимо «Архива» и, задыхаясь, помчался к угловой двери. Взбудораженный, он не заметил звонка и, толкнув дверь, влетел в большую комнату без окон.

За накрытым столом под люстрой сидели советник посольства Червонцев, первый секретарь Вострухин, пресс-атташе Кузьмищев и шифровальщик Барабанов. Это был почти весь наличный состав резидентуры внешней разведки, работавшей под посольской крышей.

Советник Червонцев, в очках, с квадратным мощным лицом, был резидентом. Колонией правили посол и резидент. Советник-посланник, второй по рангу в дипломатической иерархии, был человек образованный, опытный, знаток арабского языка — начинал переводчиком в МИДе, но безвластный и трусоватый.

На столе стояли две бутылки армянского коньяка (одна почти пустая) и обязательный на посольских застольях «Гуляй, Вася» — то есть виски «Джонни Уокер». Из закуски родная неразделанная селедка, полбуханки черного, надорванный пакет с подсоленным печеньем и банка аккуратненьких маринованных огурчиков, купленная в лавке напротив посольства.

Коньяк, черный хлеб и селедку, понял Косенко, привез из Москвы Федоровский. Вчера, отмечая его приезд, разведчики гуляли весь вечер, а с утра, видимо, решили поправиться. Хотя тощий Вострухин, известный пристрастием к горячительным напиткам, при каждой выпивке поучал молодых коллег:

— Проснулся утром, сразу не похмеляйся, а то не остановишься и запьешь. Продержись до десяти и только тогда позволь себе пивка.

Заветы Вострухина были забыты. Это Косенко понял по шифровальщику Коле Барабанову, живой иллюстрации выражения «залил глаза». За три года командировки секретный человек Коля, редко выпускаемый за посольскую ограду, наел брюхо и пристрастился к виски «Гуляй, Вася». После первой же рюмки глаза у него исчезали за подглазными мешками.

Увидев Косенко, Червонцев метнул злобный взгляд на Колю Барабанова, которому полагалось следить за тем, чтобы дверь в помещение резидентуры была закрыта, но сдержал себя:

— Заходи, Сережа. Что-нибудь срочное?

— Федоровский... Игорь Мокеевич... — Косенко никак не мог отдышаться. — Дверь открыта... Я вошел, как договорились, а он лежит в прихожей. Уже холодный...

Вострухин и Кузьмищев остолбенело уставились на корреспондента. Коля Барабанов выронил вилку с подцепленным огурцом:

— Убили...

Первым пришел в себя Червонцев. Он надел очки и слегка охрипшим голосом спросил:

— Полиция есть?

Косенко качнул головой.

— Едем на квартиру, — приказал Червонцев. — Кузьмищев, бери Сережу, врача, спускайтесь и ждите нас.

Лысоватый Вострухин стал надевать пиджак, но никак не мог попасть в рукава.

— Алексей, — обратился к нему Червонцев, — диктуй Коле шифровку в центр. Потом садитесь за аппаратуру, фиксируйте активность полиции и спецслужб.

Помещение резидентуры было оборудовано разнообразной аппаратурой, в том числе радиостанциями, настроенными на волну полиции.

— Может, оружие возьмете? — предложил обалдевший Барабанов.

— Одурел совсем? — заорал Червонцев. — Ты дверь-то как мог оставить открытой? Домой захотел?

Внизу дежурный вскочил, увидев Червонцева, и отрапортовал:

— Я приказал вашу машину выкатить.

— Лопух! — гаркнул Червонцев. — Давай машину торгпреда!

За руль сел Кузьмищев, рядом с ним Косенко. На заднем сиденье разместился Червонцев и посольский врач, небритый, расхристанный, в джинсах. Кузьмищев сбегал за ним домой, проследил, чтобы тот захватил чемоданчик. Про внешний вид ничего не сказал. Не тот случай.

Червонцев на врача даже не посмотрел. Сидел прямой, как аршин проглотил, о своем думал.

Неужели Игоря Федоровского и в самом деле убили? Значит, предупреждение центра было точным.

На расстоянии дом лидера ливанских христиан Башира Амина казался обычным шестиэтажным зданием, но вблизи стало видно, что это хорошо укрепленная крепость.

По всему периметру были устроены барикады из мешков с песком, за которыми расположились десятки людей с оружием в руках. К дому вели железные ворота, охраняемые фалангистами.

Офицер христианской милиции долго проверял документы Кристины, прежде чем разрешить ей войти. В полутемном вестибюле Кристина увидела еще полтора десятка охранников. Дом, построенный из больших серых камней, состоял из пятнадцати просторных комнат. Здесь было прохладно даже в жару. Маленький древний лифт поднял ее наверх.

С дивана, на который она уселась, просматривался балкон со следами от пуль. Башир Амин заставил себя ждать полчаса, но когда она его увидела, то ее недовольство вмиг испарилось.

Башир Амин показался Кристи очень красивым мужчиной. От его темных восточных глаз трудно было оторваться. Он легко завязал разговор и беседовал с ней совершенно непринужденно. Баширу было приятно, что иностранные корреспонденты проявляют к нему интерес.

— Моя страна унижена тем, что в ней хозяйничают иностранцы, — говорил Башир. — Израильтяне отрезали себе юг нашей страны. Сирийцы ввели в Ливан свои войска. Палестинцы ведут себя так, словно они у себя дома.

До семидесятого года Ливан процветал. В семидесятом произошли события, ввергнувшие страну в пучину гражданской войны.

Король Хусейн после короткой войны изгнал палестинцев из Иордании. Руководители Организации освобождения Палестины обосновались в мусульманском Западном Бейруте. А боевые отряды палестинцев осели в южной части Ливана, неподалеку от границы с Израилем. Они не подчинялись ливанским властям и, по существу, создали себе государство в государстве.

Палестинцы и ливанские христиане быстро стали врагами.

Все началось с небольшого эпизода. В Бейруте группа палестинцев, собиравшаяся похоронить своего погибшего товарища, случайно попала в христианский квартал и потребовала, чтобы все торговцы закрыли свои лавки в знак траура по их товарищу.

Воинственные христиане не привыкли, чтобы в их собственной стране им что-то приказывали. Возникший спор быстро перешел в потасовку. Один из христиан был убит. Им оказался телохранитель Пьера Амина, признанного лидера маронитов и отца Башира.

Христиане восприняли это как попытку покушения на своего лидера, находившегося в тот момент неподалеку на богослужении. Через несколько месяцев фалангисты напали на палестинцев в Восточном Бейруте. Еще через несколько месяцев палестинцы напали на фалангистов. Война началась.

Палестинские боевые отряды легко выбили слабую ливанскую армию из южной части страны. Тогда в Ливан вошли сирийские войска — под предлогом наведения порядка.

Обосновавшись на юге Ливана, палестинцы использовали его территорию для атак на Израиль, который отвечал немедленно и жестко. Причем страдали чаще всего ливанцы. Это привело к окончательному развалу центральной власти в Ливане.

К тому же сами христиане не были едины и периодически сражались друг с другом. Страна погрузилась в хаос.

— Палестинцы не хотят уходить из Ливана, — жаловался Башир.

Он говорил с Кристиной так, словно она представляла весь западный мир.

— Я не понимаю, почему мир не желает нам помочь? — продолжал Башир. — Палестинцы обучают в своих лагерях террористов со всего мира. Палестинцы как микробы: где они появляются, там начинает литься кровь.

Кристина с интересом смотрела на Башира. Она представляла его совершенно иным человеком. Она многое о нем знала, прочитав в своем кабинете в Кельне все, что о нем было написано.

Башир с детства имел неукротимый характер. В школе у него были постоянные неприятности, он не мог спокойно сидеть за партой. Закончить школу оказалось для него непростым делом.

Он мог запросто унизить и ударить человека, но с годами стал разумнее, научился сдерживать себя, старался не повышать голоса.

Башир начинал войну всего с пятьюдесятью бойцами, которых он перебрасывал из района в район, туда где фалангисты терпели поражение. Очень скоро старшее поколение признало его способность быть лидером.

Он и старался вести себя как хозяин столицы и страны. Открыл свой телевизионный канал и купил две радиостанции, одна из которых передавала только его любимую классическую музыку.

Башир старался даже контролировать цены в Бейруте. Каждый день его радиостанция передавала цены, установленные примерно на сто наименований товаров. Торговцы, которые нарушали правила, могли угодить за решетку.

Городские магистрали в Восточном Бейруте не справлялись с потоком машин, поэтому по приказу Башира устраивались стоянки, которые предоставлялись в пользование инвалидов — ветеранов его армии.

Башир следил за расписанием поездов и сам регулировал трудовые споры. Он не знал усталости и иногда бывал жесток и беспощаден.

Башир Амин рассказывал Кристи:

— Мои войска вынуждены были заменить государство, которое палестинцы разрушили вместе с сирийцами. Мы восстановим Ливан, когда удастся выбить из страны сирийцев и палестинцев.

— И все-таки я не могу понять, — сказала Кристина, — почему вы так ненавидите палестинцев?

На памяти Олега Червонцева заместителей резидента не убивали. Разведчики вообще не нападают друг на друга. Это глупо и себе дороже. Значит, Федоровского убили террористы?

Червонцев с тоской представил себе, сколько неприятностей его ждет. Сегодня он весь день проведет у шифровального аппарата, отвечая на запросы центра и объясняя, почему резидент игнорировал предупреждение о возможности терористических актов.

Москва пришлет людей, чтобы провести расследование. Заодно они захотят проверить, как работает резидентура. В любом случае с резидента взыщут за неспособность обеспечить безопасность личного состава. Резидент полный хозяин у себя в резидентуре, но он и отвечает за все.

«Черт бы подрал этого Федоровского, — подумал Червонцев, — и дня не проработал, а столько проблем устроил!»

Встречать Игоря Мокеевича Федоровского послали вчера Вострухина. Федоровский прилетел без жены, объяснил, что она присоединится к нему попозже, когда завершит дачный сезон и сдаст внуков молодежи.

Отдыхать после дороги крепкий, моторный Федоровский не захотел, оставил вещи в квартире и двинул сразу в посольство. Федоровский был назначен заместителем резидента, и часок они с Червонцевым поговорили наедине, посмотрели друг на друга и пришли к выводу, что сработаются.

Звание у них было одинаковое — оба полковники, но заместитель оказался на шестнадцать лет старше резидента, следовательно, подсидеть своего начальника не мог, а по характеру низенький, подвижный, веселый Федоровский понравился Червонцеву.

Как ни странно, раньше они не встречались, хотя работали по соседству: Федоровский всю жизнь на немецком направлении, Червонцев — на испанском.

Когда остались одни, Федоровский откровенно сказал резиденту:

— Ты на меня можешь положиться, не отдыхать приехал. Я пятнадцать лет в центре штаны просиживал, соскучился по оперативной работе. Все, что хочу, это повкалывать напоследок всласть. Мне же до пенсии три года. Последняя командировка, надо выложиться, потом будет что вспомнить.

О том, что ему ко всему прочему предстоит самому напрямую работать с Кристиной фон Хассель, Федоровский резиденту не сказал. Чем меньше людей знает о ценнейшем агенте, тем лучше.

Червонцев вызвал всех сотрудников резидентуры, представил их Федоровскому. Часов в семь Федоровский по традиции спросил резидента:

— Может, посидим, отметим?

Червонцев разрешающе кивнул. Федоровский распаковал сумку, выставил подарки с родины — коньяк, жестяную, похожую на противотанковую мину, банку с селедкой, две буханки черного — еще мягкие, грибки домашнего засола. Коля Барабанов развернул скатерку, притащил рюмки, тарелки — это хозяйство за ним было. Кузьмищева, как самого молодого, сгоняли в лавку.

Пили умеренно, приглядывались к новому начальнику. Федоровский легко опрокинул три стопки и не опьянел, а как-то воодушевился:

— Эх, ребята, вам не понять, как я этого дня ждал.

Коля Барабанов, привыкший угождать начальству, раскладывал всем грибки и огурчики. Вострухин, разливая, согласился с Федоровским:

— Страна хорошая, богатая.

Кузьмищев и Барабанов заржали. Жена Вострухина, которая в Москве была билетером в кинотеатре, ежедневно прочесывала универмаги и в преддверии скорого возвращения на родину совершала оптовые закупки.

— Все, — говорила она, втискиваясь после обеденного перерыва с тяжелой сумкой в консульство, где работали посольские жены. — Вопрос по пуловерам закрыла. Дешевые взяла, но с дорогой серии. Завтра постельным бельем займусь.

— Акимовна, как же ты с продавщицами-то объясняешься? — спрашивали ее более молодые жены, которые старались выучить хотя бы несколько фраз на местном языке.

Вострухина делилась:

— Улыбаешься, на свою грудь показываешь. Она видит, что большая, и несет нужный размер. Главное — улыбайся. Нация лживая, ласку любит.

Прикончили вторую бутылку, запели. Репертуар обычный — «Каховка», «Дорогая моя столица», «Артиллеристы, Сталин дал приказ», «Широка страна моя родная». У Вострухина был высокий тенор, Коля Барабанов подтягивал. Федоровский вдохновенно подпевал, хотя слух у него отсутствовал.

Кузьмищев вышел в коридорчик покурить. В посольстве он занимался культурой и наукой. В резидентуре — внешней контрразведкой, отвечал, стало быть, за противодействие вражеской агентуре. Благодушный Федоровский, напевая под нос, вышел за ним. Светловолосый, с пшеничными усами Кузьмищев нравился стареющим женщинам и немолодым начальникам.

— Не курите, Игорь Мокеевич? — протянул пачку Кузьмищев.

— Да мне сейчас ни водка, ни сигареты не нужны. Я и так доволен. Вернулся на оперативную работу! А уж думал, и не дождусь. Столько лет сиднем сидел. Другие вербовали, а я шифровки читал, с утра до вечера бумаги носом рыл.

Федоровский заговорил о наболевшем:

— Я убил бы его собственными руками, если бы он попался мне в руки. Я бы убивал его медленно, чтобы понял, что он с нами сделал.

Пятнадцать лет назад, когда подполковник Игорь Федоровский, быстро делавший карьеру, уже исполнял обязанности заместителя резидента в Швейцарии, сбежал к американцам подчиненный ему майор Василий Шпагин. Москве пришлось отозвать практически весь состав резидентуры и послать туда молодежь из тех, кого Шпагин не знал. Федоровский стал невыездным.

— Да не я один, а весь мой отдел. Какие ребята без дела остались! Кто лучше всех знал язык? Мои ребята. Кто лучше всех вербовал? Мои ребята. Всем Шпагин жизнь поломал.

Федоровский вздохнул:

— Я же был лучшим вербовщиком в резидентуре. Когда он убежал, мне было тридцать четыре. Я возглавлял группу и вербовал. Я был уверен в себе. С резидентом, послом, в центре с кем угодно мог говорить на равных, и они признавали за мной это право. Пока он не ушел. И нас всех вывели из дела. Мои лучшие годы из-за него пропали.

Кузьмищев вежливо курил в сторону, левой рукой отгоняя дым. На лице у него было написано восхищение Федоровским.

— Еще поработаете, Игорь Мокеевич, развернетесь.

Это было накануне вечером, а сейчас Кузьмищев дважды объехал вокруг дома, где поселили Федоровского, но полиции не было видно. Червонцев, врач и Косенко вышли у подъезда. Кузьмищев покатил машину на стоянку.

Поднялись на лифте. Червонцев тщательно осмотрел коврик перед дверью, замок. Полковник Федоровский лежал в прихожей лицом вниз, неловко подложив под себя правую руку. Он был полностью одет, только пиджак валялся на полу рядом с двумя старыми чемоданами.

Кристи была удивлена тем, с какой готовностью Башир Амин отвечал на ее вопросы. Ее предупредили, что Башир не сможет уделить ей больше сорока минту, но прошло уже почти два часа, а лидер ливанских христиан не проявлял никаких признаков недовольства. Напротив, ему явно нравилась беседа с немецкой журналисткой.

— Я понял, что нужно сделать, после того, как меня похитили, — рассказывал Башир.

— Похищение? О чем вы говорите? — удивилась Кристина.

— Я был первым ливанцем, которого похитили палестинцы. Они остановили мою машину и повезли в свой лагерь. Сначала избили. По-моему, один из них хотел меня убить. Потом они узнали, кто я, и отвезли назад в город. Высадили из машины неподалеку от нашего дома.

Возле дома я увидел толпу. Люди собрались, чтобы отомстить за меня. Они стали ощупывать меня, проверяя, не отрезали ли мне палец или ухо. Я позвонил отцу, он был тогда министром. Мне ответили, что он на срочном совещании у президента. Я позвонил в президентский дворец. Меня не хотели соединять: «Вы что, не знаете, что пропал его сын?»

Я испытал величайшее унижение. Унижен был весь наш народ — иностранцы так нагло вели себя в нашей стране! Я заперся дома и неделю не выходил. Я ни с кем не разговаривал. Это было что-то вроде изнасилования.

— Поэтому вы возненавидели палестинцев? — спросила Кристи.

— Я понял, что во всем виноваты мы сами, наша неспособность объединиться. Я понял, что должен сделать Ливан единым. — Он сказал это просто, без аффекта.

Кристи думала о том, что никогда еще не видела такого сильного и уверенного в себе мужчину. Они сидели в креслах лицом друг к другу. Присутствие Башира странно волновало ее. Это было нечто похожее на те чувства, которые она испытывала к Конни.

Червонцев и Кузьмищев осмотрели квартиру, в которой накануне поселился Федоровский. Постель была не расстелена. Кузьмищев распахнул дверки платяного шкафа: пусто. От сотрясения закачались тонкие металлические вешалки. В двух других комнатах мебели почти не было.

— Все как вчера, — сказал Кузьмищев, который ночью после пьянки отвозил Федоровского домой.

— Распаковаться не успел, — заметил Червонцев.

Посольский врач, присев на корточки, склонился над телом и попросил:

— Помогите его перевернуть.

Увидев искаженное лицо покойника, Косенко отвернулся. В прихожей пахло рвотой и алкоголем.

Косенко вслед за Червонцевым и Кузьмищевым прошел на кухню. Кузьмищев закурил, и сигаретный дым перебил все запахи. Червонцев распахнул холодильник — не включен. Чайник, оставшийся от предыдущего хозяина, покрыт слоем пыли.

— И чаю не успел попить, — пробормотал Кузьмищев.

Они услышали звук льющейся воды. Из ванной вышел врач, вытирая руки носовым платком.

Червонцев повернул к нему свое квадратное лицо, кивнул в сторону выхода: поговорим за дверью, здесь могут быть подслушивающие устройства. Вышли на лестничную площадку. Кузьмищев вызвал лифт, который с грохотом стал подниматься на шестой этаж старого многоквартирного дома.

— Он умер ночью. Диагноз у меня сомнений не вызывает, — сказал врач. — Острая сердечная недостаточность плюс алкогольная интоксикация. Такое случается. Одновременно и сердце схватило, и стошнило. Непосредственная причина смерти — задохнулся рвотной массой.

Косенко самому стало дурно. Кузьмищев только пыхнул сигаретой и переспросил:

— Ты на сто процентов уверен?

— На сто, — подтвердил врач.

Червонцев спокойным голосом приказал Кузьмищеву:

— Вызывайте полицию, оформляйте как положено.

Забыв о лифте, Червонцев устремился вниз по лестнице. Утренний кошмар кончился. Игорь Мокеевич Федоровский умер от счастья. Сердце не выдержало. Слишком долго ждал, когда ему вновь разрешат вербовать.

Итак, никаких убийств, никаких чрезвычайных происшествий, никаких проблем. Кроме отправки трупа на родину. Напугавшая его шифровка с предупреждением отошла на задний план.

Червонцев сел в торгпредовскую машину и поехал в посольство.

ГЛАВА ШЕСТАЯ

Башир предложил Кристи пообедать и показал ей свой дом.

Фотография убитой дочери стояла возле его кровати. Девочку уничтожили его политические противника — до него они пока не сумели добраться. Рядом такой же небольшой снимок убитого племянника — сына сестры, погибшего во время боевой операции.

— Вы не чувствуете себя виновным в смерти дочери? — спросила Кристи.

Спросила и сразу же пожалела, что задала бестактный вопрос. К ее удивлению, Башир ответил сразу:

— Нет. Я думал об этом много раз. Нет. Я объединил христиан только потому, что применил силу. По-другому нельзя было. Они тут все превратили в зоопарк. Даже когда им нужен был бутерброд, они ехали в магазин на танке. Семьи раскололись, братья убивали друг друга.

— Но ваши люди убили столько народу. Разве это можно оправдать?

— Я не хотел этого. Но что можно требовать от людей, которые, возвращаясь домой, находили трупы своих братьев и отцов? Люди превращались в зверей. Вам этого не понять.

— Но ваши солдаты тоже убивали ни в чем не повинных мирных жителей, — возразила Кристи.

Башир Амин стоял, широко расставив ноги и распрямив грудь. В белой рубашке с расстегнутыми пуговицами он казался трогательно юным. Он старался все объяснить максимально просто.

— Насилие — это болезнь, поразившая Ливан, и вылечить от нее очень трудно. Начинать надо с того, чтобы заставить палестинцев и сирийцев уйти из нашей страны. В долине Бекаа власть не должна принадлежать палестинцам.

Долина Бекаа — это пятая часть территории Ливана. Она рассечена рекой Литани. Здесь плодородные земли. Но Кристи знала, что там выращивают самые прибыльные культуры — марихуану и опиум.

Наркотики давали хороший доход всем, кто обосновался в долине Бекаа, — сирийцам, палестинцам, иранским боевикам.

— Мы не бедуины, — говорил Башир, — которые сворачивают свои шатры и переходят на новое место. У нас есть традиции, которые мы храним. Мы гордый народ с давней историей. Но мы не хотим, чтобы в нашей стране хозяйничали чужие.

После интервью он осторожно пожал Кристине руку и со значением сказал:

— Приходите еще. Мне есть что рассказать о Ливане.

Выражение его глаз не оставляло сомнений в том, что он действительно желает ее видеть.

Салим хотел, чтобы Рольник захватил советского офицера, который обучал сирийские войска, находившиеся в Бейруте. Офицера следовало выкрасть и доставить в безопасное место. Зачем это нужно было Салиму, Рольник догадался сразу. Салим надеялся выдать это нападение за враждебную акцию христиан-маронитов, чтобы заставить Москву помочь палестинцам в борьбе против Башира Амина.

По данным Салима, советский офицер находился в четырехэтажном здании — штаб-квартире сирийских войск. Задача состояла в том, чтобы проникнуть в здание, захватить офицера, убить как можно больше сирийцев и, уходя, взорвать здание.

Потом Салим отвел в сторону Рольника, который сомневался, удастся ли им вытащить оттуда советского офицера живым.

— Мы проберемся туда и возьмем его, — уверенно сказал он Салиму. — Но выбраться будет нелегко.

Салим чуть заметно пожал плечами, и Рольник его понял. По плану они должны были спуститься по веревке с крыши соседнего здания, проникнуть на третий этаж, где будет совещание, схватить офицера и, пользуясь всеобщим замешательством, выскользнуть на улицу.

— Я понял тебя, — сказал Рольник. — Но у меня один вопрос. Зачем ты посылаешь Гюнтера? Он же хочет выйти из игры.

— Дитер, — мягко ответил ему Салим, — ты же сам знаешь, что из наших игр выходят только ногами вперед.

Рольник с уважением относился к Салиму — это был хороший боец, жесткий, бесстрашный, но он привык подчиняться приказам. Рольник чувствовал себя свободнее, и поэтому ему почти всегда удавалось выйти сухим из воды.

Передвигаться по Бейруту опытному человеку совсем нетрудно. В полуразрушенных кварталах есть где спрятаться. По городу разъезжало большое количество автомобилей без номеров, полных вооруженными людьми. Затеряться среди них ничего не стоило.

Рольник не любил придумывать сложное прикрытие. Однажды он, правда, изображал водителя фургона международного Красного Креста, другой раз — журналиста из Ирландии, страны, о которой в Ливане и не слышали. Но такие игры ему не нравились, потому что ненадежное прикрытие не обманет опытных людей, а в Бейруте полно профессиональных контрразведчиков.

Рольник решил, что они будут действовать открыто — насколько это возможно. Они были в шляпах, плащах, шейных платках — в темноте немногим отличались от большинства жителей города, в котором шла война.

С собой у них было оружие, снаряжение и большая черная сумка со взрывчаткой. Поодиночке они тихо пробрались в полуразрушенное здание по соседству со штаб-квартирой сирийцев. Они должны были провести в засаде весь день, наблюдая за происходящим у сирийцев, надо было убедиться в том, что цель на месте. Если бы они ворвались в здание, а советского офицера там не оказалось, все пошло бы насмарку. Повторить атаку было бы невозможно.

Все четверо расположились в здании и занялись наблюдением. Только один из них нервничал, потому что это была его первая операция. Но Рольник не беспокоился на его счет. Он знал, что Салим не подсунет ему негодного человека.

Они почти не разговаривали. Ели очень мало, тщательно осматривали оружие. Больше всего времени ушло на подготовку снаряжения, необходимого для того, чтобы проникнуть к сирийцам. Рольник сам проверил тонкий, но крепкий канат черного цвета с алюминиевым гарпуном.

В штаб-квартиру сирийцев постоянно входили какие-то люди. У входа дежурили два вооруженных охранника, которые сменялись каждые четыре часа. Сирийцы установили жесткий контроль над всем районом и считали, что к штабу могут приблизиться только уже проверенные люди.

Наблюдение подтвердило, что все сирийское начальство расположилось в комнатах на верхних этажах — подальше от улицы, с которой могут стрелять по окнам. Рольник убедился в том, что как минимум два европейца находятся в здании. Правда, не совсем ясно, где их искать ночью — в здании четыре этажа. К вечеру стало ясно, что центр активности переместился на третий этаж.

Служба безопасности Башира арестовала четырех человек, которые приехали в Бейрут из долины Бекаа. Они пытались продать три килограмма героина в Восточном Бейруте. Один из арестованных оказался другом и сторонником отца Башира — Пьера Амина, бывшего президента Ливана. Жена арестованного бросилась к нему за помощью.

Пьер вызвал начальника службы безопасности своего сына и высокомерно приказал ему освободить этого арестованного.

Тот отказался.

— Если бы это был гашиш, я бы отпустил его. Но они продавали героин — он убивает людей.

— Они хотели продать героин за границу, это не наше дело.

— Хорошо, — сказал тот, — я посоветуюсь с Баширом.

Пьер потерял терпение.

— Тебе незачем советоваться с Баширом, если я приказываю тебе его выпустить!

Однако тот все-таки пошел к Баширу, пересказал

весь разговор, но Башир велел держать торговцев наркотиками в тюрьме.

Пьер дулся на сына три недели. Он вообще часто бывал недоволен своим сыном. Пьер испытывал нечто вроде ревности — он был слишком стар, и власть уходила к молодому и полному сил Баширу.

Пьера нельзя было назвать чистоплюем, но он чувствовал себя старомодным, когда узнавал об очередной операции Башира. Башир устранил своего главного соперника среди христиан Дэни Шамуна в тот момент, когда их отцы обедали вместе и Дэни был уверен в своей безопасности. Пьер был возмущен, но не мог не признать, что операция была проведена идеально. Армия Башира стала реальной силой, остальным христианским вождям оставалось только присоединиться к нему.

Башир пользовался авторитетом отца, но следил за тем, чтобы отец не сказал ничего лишнего.

Башир однажды переводил Пьера в беседе с американскими конгрессменами, потому что отец не знал английского. Башир переводил так, как считал нужным. Когда один из конгрессменов, знавший французский, обратил внимание на то, что перевод не соответствует сказанному, Башир осадил американца:

— Простите, сэр, но я лучше знаю, что мой отец хочет сказать.

Башир устроил Кристи интервью со своим отцом. Пьер принял Кристину на террасе своего дома. Принесли кофе и печенье. Кристи нашла поведение Пьера забавным. Он словно не мог примириться с тем, что мир теперь интересуется не им самим, а его сыном.

Кристи спрашивала отца о сыне. Тот рассказывал только о себе.

Она спрашивала о том, когда в семье осознали, что у Башира есть качества лидера. Пьер рассказал о своей борьбе за освобождение Ливана от французской оккупации. Кристи интересовалась его мнением относительно слухов о том, что Башир хочет стать следующим президентом. Пьер рассказал о том, как он основал фалангистскую партию.

Самое любопытное, что на следующий день Башир заставил Кристи подробно пересказать ее интервью с Пьером. В душе он все еще был мальчишкой, который нуждался в одобрении отца.

Совещания в сирийском штабе были хуже партийных собраний у него дома. И на тех, и на других приходилось сидеть, тараща глаза на оратора. Разница состояла в том, что у себя на партсобраниях полковник Пьянков хотя бы понимал, что говорят выступающие.

На долгих и муторных совещаниях с сирийцами он совершенно терял нить разговора, хотя его переводчик — молоденький лейтенант из Дамаска, выпускник Института военных переводчиков, быстрым шепотом старательно излагал многословные и велеречивые выступления сирийских офицеров.

Пышные обороты восточных ораторов бесили Пьянкова. Он ненавидел евреев, и это объединяло его с сирийцами, но и самих сирийцев он презирал от души. Во-первых, за болтовню, во-вторых, за неспособность противостоять евреям.

Полковник Пьянков служил в штабе Московского округа противовоздушной обороны и надеялся на перевод в Западную или в Южную группу войск. Неожиданно в Десятом управлении Министерства обороны предложили Сирию.

Полковник немедленно согласился, хотя командировка была небезопасной и ехать надо было без семьи.

Зато в Сирии хорошо платили, и жизнь была — с точки зрения комфорта — прямо-таки генеральской.

Ему предоставили полностью обставленный коттедж с холодильником, телевизором и видеомагнитофоном, машину с водителем. Утренние пробежки из-за жары он отменил, но много плавал в бассейне, а в Бейруте ходил еще и в спортивный зал и чувствовал себя в наилучшей форме.

Поездка в Ливан была как бы неофициальной — по межправительственному соглашению он должен был находиться только на территории Сирии, но главный советский военный советник получил из Москвы санкцию на двухмесячную командировку полковника Пьянкова в Бейрут.

Израильские самолеты постоянно барражировали над позициями сирийцев в Ливане, и сирийцы хотели научиться их сбивать. Они доставили в Ливан пусковые установки ракет «земля-воздух», закупленные в Советском Союзе, и Пьянков помогал офицерам сирийских ПВО осваивать новую технику.

Учились сирийские офицеры не слишком рьяно. Обильные трапезы и молитвы занимали в их жизни больше времени, чем служба. Среди офицеров ПВО были выпускники советских военных училищ, понимавшие по-русски. Пьянков вовсю матерился, побывавшие в Союзе молодые офицеры, улыбаясь, слушали знакомые слова.

Ночное совещание в сирийском штабе затянулось, и полковник Пьянков решил заночевать прямо здесь.

В двенадцать ночи Дитер Рольник и его люди переместились на крышу. Сама по себе операция по переброске с крыши на крышу не сложна — в учебных лагерях они проделывали такие манипуляции десятки раз.

Ночь была безлунной, и их вряд ли успели бы заметить. Труднее всего избежать шума. Алюминиевый гарпун ударился о крышу с грохотом, и тут ничего нельзя было поделать. Но по крайней мере гарпун зацепился с первой попытки, и все пятеро быстро перебрались на соседнюю крышу.

Под крышей находились две комнаты. Двери были закрыты, но, прислушавшись, они поняли, что в обеих комнатах спали люди. Стараясь не шуметь, они спустились по деревянной лестнице вниз.

И оказались на этаже, где и ночью не прекращалась деятельность. В одной из комнат за неплотно прикрытыми дверями кто-то разговаривал, оттуда шел сигаретный дым.

Салим подобрался поближе. Остальные страховали его и держали под прицелом другие двери, чтобы никто не смог застать их врасплох.

Салим постучал в дверь. Сириец открыл и получил пулю в грудь. Затем раздался еще один выстрел.

Глушитель вовсе не делает выстрел бесшумным. Кроме того, люди не умирают беззвучно. Один из сирийцев, падая, опрокинул стул. Рольник и Салим стали ждать, когда на шум выйдет кто-то из соседней комнаты, откуда тоже доносились голоса.

Два вооруженных человека один за другим выскользнули в темный коридор. Они ничего не увидели и ничего не успели понять. Люди Рольника прикончили их ножами — одним ударом, рассекающим горло, так что те даже не смогли позвать на помощь. На этом этаже находились одни командиры, а не бойцы, закаленные в постоянных схватках.

Один из сирийцев, оставшихся в комнате, увидев, что его товарищи как-то странно исчезли, пошел посмотреть, что же с ними приключилось. У него был автомат, но он не сумел им воспользоваться. Он и представить себе не мог, что ждет его в коридоре, и автомат держал небрежно в левой руке. Сириец был мгновенно убит, и тогда Рольник и другие ворвались в комнату, где находилось семь человек.

Салим сразу бросился на советского офицера, сидевшего на диване, и повалил его на пол. Рольник взялся за остальных. Он выпустил в сирийцев весь магазин своего автомата. Десятимиллиметровые пули разметали их по комнате.

У одного сирийца, сидевшего в стороне, был шанс сравнять счет, но он не сумел быстро взяться за свой «калашников» и умер с выражением ужаса на лице.

Советский офицер в сирийской форме без знаков различия дрался с невероятным ожесточением. На это способен только человек, понимающий, что он борется за свою жизнь. Офицер затих, когда ему приставили нож к горлу.

Снизу донеслись чьи-то встревоженные голоса. Обитатели дома еще не поняли, что внутрь проникли враги, но шума было достаточно для беспокойства. Рольнику стало ясно, что они не смогут уйти живыми, если потащат сопротивляющегося советского офицера.

Рольник прикрыл глаза, и советскому офицеру перерезали горло. Затем Салим быстро собрал со стола все документы, карты и фотографии, и они бросились назад на крышу.

Никто пока не бежал за ними. Двери в комнаты наверху, где спали какие-то люди, были по-прежнему закрыты. Но на крыше, возле парапета стояли два ливанца и курили. У них не было оружия. Салим окликнул их и подозвал. Они колебались. Салим снова их позвал. Теперь они услышали какой-то шум внизу и поспешили на его зов. На одного сзади набросился Рольник. Другого взял на себя Салим, но оплошал, не справился. Гюнтер бросился ему на помощь и напоролся на нож ливанца.

Ливанца они прикончили. Но взять с собой труп Гюнтера не могли. Они заложили взрывчатку возле лестницы и установили взрыватель.

Оставалось пять минут на то, чтобы уйти. Они успели. Ровно через пять минут раздался взрыв. Поскольку разнесло верхний этаж, сирийцы решили, что начался обстрел и за первым снарядом последуют другие. В такой ситуации, как рассчитывали нападавшие, никто Рольника и его людей искать не станет.

Действительность превзошла ожидания Рольника. Внутри здания началась нелепая перестрелка, и сирийцы ринулись из здания в страшной панике. Рольник, Салим и его люди выскользнули из укрытия и побежали по улице, смешавшись с удирающими в панике сирийцами.

Салим заложил взрывчатку и в развалинах дома, в котором они укрывались перед нападением. Отбежав на приличное расстояние, Рольник нажал кнопку дистанционного управления, и здание разнесло до основания. Теперь уже ни у кого из сирийцев не было сомнений в том, что начался обстрел.

В условленном месте ждал микроавтобус. Они сложили в ящик оружие и переоделись.

— Где Гюнтер? — спросил сидевший за рулем Али. Он курил длинную тонкую сигарету, распространяя запах крепкого турецкого табака.

Салим развел руками.

— А труп?

— Какой уж там труп, — сказал Дитер. — Там и от здания-то мало что осталось.

Проспав всю ночь сном праведника, рано утром Дитер Рольник покинул Бейрут.

Это было плохое утро для Олега Червонцева. Он уже понял, что не выполнил указания Москвы. От главного военного советника ему сообщили, что при взрыве штаба в Бейруте погиб полковник Пьянков, специалист по организации противовоздушной обороны.

Сирийцы не знали, кто взорвал их штаб. Сотрудники резидентур ГРУ и КГБ разъехались по Бейруту. Они встречались со своими агентами, пытаясь выяснить, кто мог убить советского полковника.

В Москве о гибели Пьянкова немедленно доложили не только министру обороны и председателю КГБ, но и генеральному секретарю ЦК КПСС.

Червонцеву приказали закончить это дело и возвращаться домой. Резидент понял, что мечта его жены о собственном «мерседесе» может и не осуществиться.

Кто же устроил взрыв в штабе? Израильтяне? Те палестинцы, которых поддерживает Ирак, ненавидящий Сирию? Ливанские христиане, которые требуют вывести сирийские войска из страны? Олег Червонцев полагал, что, скорее всего, взрыв — дело рук ливанских христиан.

Сирийские саперы из-под обломков взорванного здания извлекли искалеченный труп человека с европейскими чертами лица. У него были документы инструктора христианской милиции, которую возглавлял Башир Амин.

Первый же запрос в Интерпол дал положительный ответ: погибший числился в международном розыске как активный участник западногерманской террористической группы «Революционные ячейки». Его звали Гюнтер Валле.

Об этом написали в газетах, и Кристи показала газетный лист Петре Вагнер. Петра прочитала и опустилась на стул. У нее началась истерика. И вновь Кристи выводила ее из этого состояния. Она знала, как это сделать проще всего. Она увела Петру в спальню и уложила в свою постель. Нежно раздела ее и стала утешать.

Петра плакала, наслаждалась и говорила. Главное для Кристи состояло в том, чтобы Петра говорила. Такого источника информации у Кристи еще не было.

Утешив Петру, Кристи отправилась на встречу с любимым человеком.

Приезд Конни стал для Кристи подарком судьбы. Конни был чудесен. Когда после трудного дня она приходила к Конни в его гостиничный номер, он окружал ее любовью и заботой. Он совершенно не думал о себе. Кристи рассказывала ему обо всем, что ей удалось узнать. Конни, который приехал в Бейрут под видом швейцарского корреспондента, передавал материалы сотруднику резидентуры советской разведки.

А в резидентуре каждый вечер обсуждались результаты поиска убийц подполковника Пьянкова. Его останки давно были отправлены в запаянном гробу на родину. Москва требовала найти наглых убийц, посмевших бросить вызов Советскому Союзу. Все друзья СССР были предупреждены, что спецпоставки приостановлены и что никто не получит ни оружия, ни денег, пока не будут найдены убийцы.

Сирийцы сразу же сказали, что подполковника убрали израильтяне, чтобы напугать советских военных, помогающих братской Сирии. Олег Червонцев не исключал такой возможности, но ему нужны были какие-то доказательства.

Доказательства получила сирийская контрразведка. Ее специалисты установили тип взрывчатки, использованной при налете на штаб сирийской армии. Этой взрывчаткой пользовались отряды христианской милиции, которые подчинялись Баширу Амину.

Червонцев потребовал от своего аппарата проверить эту версию. На складе лесоматериалов в пригороде Бейрута Червонцев встретился с Жоржем Хаббашем и его помощником Салимом, лидерами Народного фронта освобождения Палестины, немногочисленной радикальной палестинской группировки.

Салим сказал, что у него есть люди в христианской милиции Башира Амина. Они подтверждают: Башир стоит за нападением на сирийский штаб и убийством советского полковника. Башир нанял немца Гюнтера Валле, который и осуществил эту акцию.

Беседы Кристи с Амином затягивались иногда до полуночи. Именно в это время в комнату начинали заглядывать озабоченные помощники и намекали шефу, что пора идти. Башир с видимым неудовольствием благодарил Кристи за внимание. Он целовал ей руки и приказывал отвезти ее в гостиницу на своей машине и с охраной.

Башир Амин сам работал двадцать четыре часа в сутки и требовал того же от остальных. Заседания руководства Ливанского фронта происходили обычно после полуночи и заканчивались под утро.

Башир твердой рукой руководил своими людьми. Он называл обсуждаемый вопрос. Желающие выступить поднимали руки, и Башир записывал их имена на листке бумаги. Потом всем предоставлял слово. Каждый имел право говорить пять минут. Башир, слушал не прерывая. Когда замолкал последний оратор, Башир объявлял решение.

Башира радио Каира назвало «крестоносцем наших дней». Он командовал 15-тысячной милицией, которой палестинцы и мусульмане ничего не могли противопоставить. Из боев в Бейруте он вышел самым сильным человеком в Ливане.

Однажды Башир собрал журналистов и объявил им:

— Теперь, помимо палестинской оккупации, мы имеем еще и сирийскую оккупацию. Сирия виновна в том, что Ливан теперь в запустении. Сирия заставила весь мир поверить, будто нашу страну разрушает Израиль, чтобы скрыть, что она сама занимается уничтожением христиан.

Сказав это, Башир подписал себе смертный приговор.

Ливанская проблема обсуждалась на совещании руководителей КГБ и Министерства госбезопасности ГДР. Власть в Ливане переходила к Баширу Амину, и это подрывало позиции палестинцев и сирийцев. Восточные немцы предложили оказать всю потребную помощь врагам Башира, чтобы они могли остановить гибельное развитие событий в стране.

КГБ обещал использовать свою агентуру в Бейруте, чтобы операция была успешной.

Башир определенно пытался ее соблазнить. Кристи поняла это при первой же встрече. Когда они увиделись во второй раз, Башир с его южным темпераментом перешел в открытую атаку. Ему понравилась эта стройная северная женщина, не похожая на средиземноморских женщин. Ее сопротивление только подзадоривало Башира, который привык к быстрым победам.

Кристи приходила к нему почти каждый день. Она приносила с собой магнитофон, задавала вопросы, словно продолжалось одно бесконечное интервью. На самом деле между ними началась изощренная любовная игра.

Накануне их очередной встречи Башир Амин послал людей убить своего соперника Тони Франжье — те уничтожили в его доме все живое, включая горничную, шофера и собаку.

Христианские вооруженные формирования всегда ненавидели друг друга. Чаще всего потому, что не могли поделить денежные места.

Кланы Франжье и Амина, христиане-марониты, теперь воевали между собой, хотя раньше они сражались против мусульман и палестинцев. Они убивали друг друга не из-за религиозных разногласий, а из-за плодородных участков земли и права взимать дорожные пошлины.

Но была и еще одна причина. Молодой Франжье породнился с братом сирийского президента Хафеза Асада. Тони должен был стать наместником сирийцев в Ливане. Смерть Тони будет предостережением всем ливанским христианам, которые верили в сотрудничество с сирийцами.

Клан Франжье был соперником клана Аминов.

Клан Франжье с незапамятных времен владел северным Ливаном. Без этой семьи на севере не совершалась ни одна сделка. В молодости отец Тони — Сулейман Франжье застрелил в церкви 12 единоверцев-христиан, мешавших предвыборной кампании его брата Хамида.

Сулейману пришлось тогда бежать в Сирию. Сирийцы помогли ему укрыться от полиции, и с тех пор у Франжье — единственного из христианских лидеров — были хорошие отношения с сирийцами.

Он пробыл в изгнании всего год и вернулся в Ливан по амнистии. Вскоре его избрали президентом

Ливана. Пока Сулейман Франжье руководил страной, другие члены клана продолжали владеть севером Ливана. Например, с каждого центнера цемента, произведенного на цементном заводе в Шекке, клану полагалась мзда примерно в один американский доллар.

— Почему вы отдали приказ убить Тони? — смело спросила Кристи.

Башир долго молчал. Она уже решила, что не дождется ответа.

— Тони угрожал моей жизни. Его люди убивали моих, и он занимался торговлей наркотиками. Я пытался поладить с ним. Даже патриарх старался помирить нас, но безуспешно. Затем они убили одного из моих помощников. Они захватили его тело и не давали нам похоронить его. Я всего лишь приказал забрать тело и арестовать убийц.

Зазвонил телефон, и Башир вцепился в него, как в спасательный круг. Сказав несколько слов, повесил трубку.

— Я не приказывал убивать Тони и его семью. Но у нас идет война, она жестока, и остановить людей невозможно. Научить их воевать в белых перчатках? Этого я не могу. Человек находится в ужасающих условиях и ведет себя соответственно.

В этот вечер Кристи увидела другого Башира. Жестокого политика, уничтожавшего всех, кто стоял на его пути. Она смотрела на него широко раскрытыми глазами.

Башир встал и приблизился к Кристи. Вдруг опустился перед ней на колени и взял ее за руки.

— Я вас люблю, — сказал он.

Его темные глаза излучали магическую силу — не было сил оторваться, и все же она встала и уехала.

В гостинице ее ждала Петра Вагнер. Она с надеждой устремилась к Кристи, но та торопилась к Конни. Петра ее больше не интересовала. Все, что нужно было Москве, Кристи узнавала теперь от Башира.

— Петра, мне некогда, — сухо сказала Кристи. — Увидимся на днях.

Кристи поднялась к себе в номер, забыв о Петре. Это была ошибка. Кристи переоделась и тут же покинула гостиницу. Петра незаметно последовала за ней.

Кристи рассказала Конни о том, что Башир, похоже, влюбился в нее, что он настойчив и что ей с каждой встречей все труднее сопротивляться. Может быть, немедленно прекратить с ним все отношения? Конни обнял ее и прошептал:

— Кристи, я все равно буду любить тебя. Что бы ни произошло.

Кристи долго смотрела на него и молчала.

Фактически это было разрешение. Конни не возражал против того, что Кристи ляжет в постель с Баширом. Информация, которую Кристи получала от Башира, была важнее всего.

Кристи ушла от него под утро. Конни вышел ее проводить до такси. Петра, продремавшая всю ночь в кожаном кресле в вестибюле гостиницы, дождалась своего часа. Она увидела, как Кристи целует какого-то человека, с которым провела ночь.

В конце августа Башир Амин был избран президентом Ливана. Заседание ливанского парламента проходило в армейской штаб-квартире. Башир был единственным кандидатом. Шеф его службы безопасности обеспечил нужные результаты. Мусульмане призвали к бойкоту выборов, но некоторые мусульманские депутаты все-таки проголосовали за Башира.

Через три недели Башир Амин выступал в монастыре возле Бейрута, где его сестра была монахиней.

Монастырь, прохладное каменное здание, был связан для Башира со светлыми воспоминания. Сюда он привозил свою девочку, которую затем убили.

Башир говорил собравшимся:

— Мы должны помнить, что никто не сделает за нас того, что мы должны сделать сами.

Он часто выступал после избрания, призывая людей поддержать центральные власти.

Пока Башир произносил свою речь в монастыре, ливанец Хабиб Шартуни в последний раз проверял гигантскую бомбу, которую накануне ночью он подложил в комнату на втором этаже, прямо над конференц-залом штаба фалангистской партии.

Детонатор японского производства был отменного качества. Он позволял взорвать бомбу с расстояния в несколько километров.

Хабиб Шартуни входил в партийную штаб-квартиру, как к себе домой. Это и был его дом. Он жил в этом здании со своей семьей — в небольшой квартире на последнем этаже. Его дядя был охранником Пьера Амина, а его сестра — подружкой одного из помощников Башира.

После выступления в монастыре Башир попрощался с сестрой и поехал в партийную резиденцию. Друзья советовали ему никогда не следовать объявленному расписанию, выбирать новые маршруты, не участвовать в рутинных мероприятиях.

Он сначала согласился и отказался от этой поездки, а потом все-таки сказал, что поедет на традиционное совещание, которое происходило по вторникам. Для него это было последнее совещание, потому что, как президент, он собирался отказаться от партийного поста и хотел всех поблагодарить за помощь.

Накануне вечером Кристина приехала к Баширу в его штаб-квартиру около десяти вечера. Она сообщила, что уезжает назад в Германию. Срок ее командировки закончился.

— Не уезжай, — попросил он. — Нам нужна твоя помощь. Ты могла бы сделать наших людей, которые работают на радиостанции и на телевидении, профессионалами.

— Мне надо возвращаться домой, — ответила она.

Кристина обратила внимание на то, что Башир похудел и как-то повзрослел. Часы болтались у него на запястье, и обручальное кольцо съезжало с пальца. Под глазами залегли круги. Он почти ничего не ел.

Они поужинали в небольшом ресторанчике, потом Башир отвез ее в гостиницу и проводил до номера. Когда она открыла дверь, он вошел вслед за ней и повернул ключ в замке. Его многочисленная охрана осталась в коридоре.

Башир ничего не сказал. Он молча стал раздевать Кристи. Она смотрела на него как зачарованная. Она была захвачена его мощным южным темпераментом. Но она не получила никакого удовольствия, потому что любила только Конни. Впрочем, Башир ничего не заметил.

Они пробыли в номере два часа.

Когда он собрался уходить, Кристина спросила:

— Башир, я уже не в первый раз слышу, что тебя могут убить. Ты действительно находишься в опасности?

Башир отмахнулся:

— Я просто не думаю об этом. Чему быть, того не миновать.

— Странно слышать от тебя такие слова. Ты не похож на фаталиста. Ты и не можешь им быть. Ведь все говорят, что ты единственный человек, способный объединить Ливан.

Башир Амин чуть улыбнулся:

— Я и сам так считаю. Однажды меня пригласил в Каир мой друг — сын египетского президента Гамаля Абделя Насера. Он познакомил меня со своим отцом. Президент Насер олицетворял тиранию мусульманского большинства, с которой я борюсь. Но я уважал его как великого патриота. Насер пожал мне руку, долго смотрел мне в глаза, потом сказал: «Тебе судьбой предназначено привести Ливан к свободе».

— Ты поверил ему? — чуть иронично спросила Кристи.

— Поверил, потому что это правда, — совершенно серьезно ответил Башир. — Я только не знаю, сколько у меня осталось времени, чтобы все успеть.

— Какие у тебя планы на завтра? — поинтересовалась Кристи.

— Я должен председательствовать на заседании в штаб-квартире партии. Я обещал. Но служба безопасности возражает. Они хотят, чтобы я провел завтрашний день в президентском дворце.

— Это серьезно, — заметила Кристи, — ты должен к ним прислушаться. Хотя я понимаю, что ты не хочешь выглядеть трусом.

— Вот именно, — твердо сказал Башир. — Я президент этой страны и не имею права бояться.

Он посмотрел на часы.

— Я буду там в четыре часа, а в пять уеду. Часа мне хватит.

Башир встал.

— Помни, ты всегда можешь вернуться к нам. Мы позаботимся о тебе. Мы будем твоей семьей.

Он поцеловал Кристи на прощание.

Несмотря на поздний час, Конни не спал. Он ждал Кристину в своем номере. Когда она вошла, он вскочил и помог ей раздеться. Он ни о чем не спрашивал.

Конни подготовил горячую ванну и стоял с мохнатым полотенцем в руках. Он помог ей вытереться, налил рюмку вишневой водки и заставил выпить. Она легла в чистую постель. Ее трясло, как будто она простудилась. Он укрыл ее теплым одеялом и подоткнул его со всех сторон.

Конни не решился лечь рядом. Он встал на колени рядом с кроватью. Кристи долго лежала, уткнувшись лицом в подушку. Она безмолвно всхлипывала. Или это только казалось?

Потом слово в слово повторила все, что рассказал ей Башир. Стоя на коленях, Конни записывал ее слова в маленький блокнот. Он задал только один вопрос:

— Башир точно приедет в партийный дом? Ты уверена?

— Да, — сказала Кристи.

Конни поцеловал ее в щеку и встал. Щелкнула дверь гостиничного номера.

Когда Башир поднялся в конференц-зал, где собралось четыреста членов его партии, Хабиб Шартуни покинул партийный дом и на велосипеде поехал в сторону Восточного Бейрута.

В условленном месте возле дороги его ждал джип. Хабиб бросил велосипед и сел в машину. Когда он захлопнул дверцу, сидевший на заднем сиденье полковник Штайнбах выстрелил ему в голову. Капитан Хоффман съехал с дороги на обочину. Вдвоем они вытащили труп Хабиба и сбросили в яму, заполненную водой.

Примерно в четыре часа Башир начал свою речь. Ровно в десять минут пятого капитан Хоффман нажал кнопку дистанционного управления взрывателем. Взрыв услышал весь Бейрут. Трехэтажное здание поднялось в воздух и рассыпалось.

Штайнбах и Хоффман подъехали к месту взрыва. Там было полно карет «скорой помощи». Из-под обломков здания вытаскивали трупы. Более кровавого зрелища ни Штайнбах, ни Хоффман еще не видели.

Первые сообщения были ложными: все были уверены, что Башир остался жив. Только через несколько часов стало ясно, что он погиб. Христианская радиостанция «Голос Ливана» прервала передачи и стала передавать печальную музыку. На следующее утро премьер-министр Ливана официально сообщил, что Башир Амин, который находился на посту президента страны всего двадцать три дня, мертв.

Ливанские христиане остались без лидера и без надежды. Башира откопали одним из первых, но его лицо было изуродовано до неузнаваемости. Поэтому его тело вместе с другими отвезли в морг. И только там Башира опознали по кольцу и письму сестры, найденному в кармане.

Кристина узнала о смерти Башира уже в Германии. Ощутила ли она сожаление? Пожалуй, да. Башир был такой красивый и мужественный.

ГЛАВА СЕДЬМАЯ

Сон был чудесный. Он давно таких не видел.

На его кровати лежит голая женщина. Ее руки и ноги связаны, во рту кляп. Она совершенно беспомощна и смотрит на него с ужасом. Он улыбается и обещает, что ей будет хорошо.

Он гладит и целует ее грудь. У нее большие соски, которые становятся твердыми. Теперь он целует ее живот и то, что находится внизу живота. Он чувствует, как ее тело откликается на его ласки. Он медленно целует каждый сантиметр ее тела. В отличие от других мужчин, которые до него любили это тело, он никуда не торопится. Разве кто-нибудь из них был так внимателен и нежен с ней?

Он настоящий любовник, он знает, как доставить женщине удовольствие. Он входит в нее, и она больше не сопротивляется, напротив, она движется в такт с ним, вместе с ним. Они достигают оргазма одновременно.

После этого он берет в руки хлыст. Ее глаза испуганно расширяются. Она еще не понимает, что он может доставить ей только удовольствие. Он вынужден ей это объяснить. Он сдерживает себя и разговаривает с ней мягко и неторопливо, хотя его самого сжигает страсть.

— Ты же любишь секс. Ты любишь секс больше всего на свете. Ведь я прав? Ну, признайся, — говорит он. — Ты боишься себе самой в этом признаться. Я помогу тебе.

И он наносит первый удар. Свист хлыста успокаивает его.

Неверно полагать, будто садист причиняет женщине боль для того, чтобы заставить ее страдать. Он вовсе не хочет быть жестоким. Он вынужден делать женщине больно, но он действует в ее же интересах. Он стремится к тому, чтобы она испытала наслаждение, недостижимое иным путем.

Он поступает так, как поступала его мать, когда заставляла ребенком глотать отвратительное на вкус лекарство — «иначе ты не выздоровеешь».

Садистские фантазии — это отголоски детской борьбы за расположение матери, это то, что недоступно женщинам, это страдания младенческого ума, оказавшегося во взрослом теле.

Садист пускает в ход силу для того, чтобы помочь женщине расслабиться и заставить ее испытать настоящую радость любви. Разве это его вина, что женщина не в состоянии понять, в чем состоит радость жизни? Он желает слышать стоны, рожденные не страданием, а наслаждением. Все, что нужно садисту, это услышать от женщины вожделенное: да!

Он начинает хлестать ее, и ему становится хорошо от того, что он способен доставить женщине удовольствие. Он возбуждается сам. И в эту сладостную минуту он пробуждается.

Вилли Кайзер проснулся весь мокрый от пота, сердце у него отчаянно колотилось, во рту пересохло. Он сбросил с себя тяжелое одеяло и спустил ноги на пол. Возле кровати валялась пустая бутылка из-под армянского коньяка. За эти годы он превратился в законченного алкоголика.

Перебравшись в ГДР, Кайзер вынужден был отказаться от любимого бурбона. Он перешел на армянский коньяк, который ему приносили ящиками опекавшие его офицеры Министерства госбезопасности. Переход от виски к коньяку Вилли пережил легко.

Хуже было то, что у него возникли проблемы с женщинами. Публичных домов в ГДР не было. Он намекнул своим кураторам, что настоящему мужчине одному скучно.

В Восточном Берлине быстро утратили интерес к Кайзеру. Примерно год он активно выступал, его использовали в пропаганде против Запада, но он исчерпался.

Тем не менее к его просьбе отнеслись с пониманием. Ему нашли молодую аппетитную женщину, из числа тех, кто часто выполнял такого рода поручения органов госбезопасности. Ее предупредили, что у Кайзера специфические вкусы и что она должна подыграть ему, изобразить недотрогу, предоставляя ему возможность как бы взять ее силой.

Она пришла к Кайзеру в короткой юбочке, кокетничала с ним и здорово его раззадорила. Он выпил и попытался повалить ее на постель. Она не давалась, посмеиваясь, но убежать не пыталась. И тогда пьяный Кайзер понял, что она, как и всякая женщина, мечтает быть изнасилованной. Он набросился на нее, и она покорилась его силе.

Но когда на следующий день он попробовал на ней свои штуки с хлыстом, она с криками убежала и больше не вернулась.

Девушка была негласным помощником органов госбезопасности, но партийная дисциплина тоже имеет свои пределы. Терпеть такие издевательства — с какой стати?

Вилли Кайзер остался один или, точнее сказать, один на один со своими запасами армянского коньяка. Он почти все время пребывал в состоянии алкогольного опьянения и однажды утром подумал: если здесь делать абсолютно нечего, то почему бы, собственно, не вернуться на Запад?

Он вспомнил, как чудесно проводил время в Гамбурге, и решил, что не желает больше оставаться в социалистической ГДР.

В Западный Берлин его перевез пожилой английский корреспондент, который тем самым получил возможность первым опубликовать сенсационный материал о возвращении беглого контрразведчика. Кайзер попросил высадить его перед зданием правящего сената Западного Берлина. Но прежде чем обратиться к властям, он решил вспомнить забытый вкус бурбона.

Он вспоминал слишком долго, и, когда перед закрытием бара выяснилось, что у него нет западных марок, чтобы расплатиться, владелец бара вызвал полицию.

Вилли Кайзер предстал перед вахмистром, который решил, что это просто старый алкоголик. От него за версту разило спиртным, он что-то бормотал и настойчиво хватал вахмистра за рукав. Западноберлинские полицейские известны своей вежливостью, но всему же есть предел. Возмущенный до глубины души вахмистр велел запереть пьяницу, пока не проспится.

Когда пьяницу потащили по коридору, он стал кричать:

— Я Вилли Кайзер! Вы обязаны меня выслушать и обращаться со мной уважительно!

Вахмистр махнул было рукой, но вдруг вспомнил эту фамилию. Он вытащил папку со старыми циркулярами. Ну, конечно же, это знаменитый Вилли Кайзер, глава ведомства по охране конституции, который убежал в Восточную Германию.

Давняя ориентировка успела пожелтеть. И на фотографии Кайзер вдвое моложе, но так ведь сколько лет прошло!.. Вахмистр сел за телефон. Он докладывал начальству, а сам разглядывал Кайзера. Бывший начальник Федерального ведомства по защите конституции был хорошо одет, но выглядел неважно. Руки у него дрожали.

Свой отпуск Кристи, как всегда, провела вместе с Конни. Она жила ради одного месяца в году, когда они могли соединиться где-нибудь в укромном европейском уголке и любить друг друга.

Так продолжалось год за годом. Но Кристи не теряла надежды на то, что рано или поздно они смогут пожениться и жить вдвоем, открыто, как муж и жена. Конни никогда не просил ее подождать. Он вообще почти всегда молчал. Но по его глазам она понимала, что придется потерпеть. Москва еще не готова была позволить ей жить тихой семейной жизнью.

Она, конечно же, понимала, что любовь к Конни превратила ее в шпионку, что она работала на советскую разведку. Но она утешала себя тем, что не приносит никакого ущерба своей родине. Напротив, чем лучше в Москве будут понимать Западную Германию, тем лучше будет всем.

Но главное состояло в другом. Прошло немало лет с тех пор, как они с Конни познакомились, но ее любовь нисколько не угасла. Конни был для нее мужчиной на всю жизнь. И он поклялся любить ее до смерти.

Однажды Конни пришлось вернуться из отпуска на два дня раньше запланированного, и эти два дня Кристи провела у родителей. Мать и отец были счастливы.

Перед отъездом в Кельн Кристи вышла из родительского дома, чтобы проститься с родным городом. Она прощалась с широкими полями, с бело-кирпичными домиками вокруг холма, на котором стоят церковь и замок. Она прощалась с лежащей за холмом бескрайней равниной, болотами, покрытыми густым мхом, с тяжелыми клубящимися облаками.

Ей почему-то показалось, что все это она больше никогда не увидит, что все это только веселый мираж, который на ее глазах гаснет, растворяется, исчезает в голубовато-белом сиянии.

Кристи остановилась на мостике через Вюрм. Под мостиком в светлой воде мелькали стаи рыбок. Вокруг города было множество речушек, ручьев, узких каналов, которые стекались из мхов и болот в реку, пересекающую город с юго-запада на северо-восток.

Город сверкал свежей побелкой и краской. Город выглядел как хороший дом после весенней уборки. Но молодежь не любила город. Даже подростки торопились освоить мотоцикл, чтобы вечером сгонять в соседний Мюнхен. Это всего четверть часа быстрой езды.

Жаль, что замок закрыт, подумала Кристи. Замок открывали для посетителей только в выходные на пару часов. Утешение Кристи нашла в саду с длинными рядами яблонь, цветущим кустарником, алыми маками, пионами, ирисами. На табличке, укрепленной на арке ворот, Кристи прочитала, каких птиц можно увидеть в парке. Здесь водились садовый краснохвост и завирушка лесная, хищники — карликовая ушастая сова, мохноногий сыч, орлан-белохвост.

Из сада открывался сказочный вид на бесконечную равнину. Словно на зелено-пестрой скатерти расставлены миниатюрные кофейники, солонки, перечницы и сахарницы — это виднелись высотные здания, церкви и трубы Мюнхена. А дальше Кристи разглядела Альпы, подернутые дымкой на горизонте.

В церкви святого Иакова стены были выкрашены в белый цвет. Фигуры святых на колоннах показывали инструменты, которыми их пытали. Варфоломей — нож, которым с него живьем содрали кожу. Матфей — топор, которым его разрубил палач. Симон Кананей — пилу, которой его распилили. Иуда Фаддей — дубину, которой его убили.

Ради Конни, подумала Кристи, она стерпит и не такое.

В углу, между изображением Христа, пойманного и подвергнутого мучениям в доме Каиафы, и изображением Марии, пронзенной семью мечами, на маленьком пульте лежала книга поминовения усопших общины.

Прекрасный летний вечер, подумала Кристи. Заиграл орган. Она стояла у окна церкви и смотрела на голубовато-сумрачное небо над городом. «Интересно, что сейчас поделывает Конни?» — с нежностью подумала Кристи.

Она потянула его в постель раньше, чем он успел выключить телевизор. Он хотел посмотреть новости, но ее руки уже стащили с него рубашку, и брюки тоже не долго на нем задержались.

Руки у нее были на редкость сноровистые и жадные. Они проникли к нему под трусы даже раньше, чем он успел приготовиться. Но секундное разочарование в ее глазах тут же сменилось восторгом. Если его и можно было застигнуть врасплох, то он моментально приводил себя в боевое состояние. Верное оружие еще ни разу его не подвело.

Он откинулся на подушку, и со вздохом удовлетворения она оседлала его. «Сладенько-то как», — прошептала она.

Уже через несколько минут бешенной скачки, задыхаясь, она стала сползать с него, и он понял, что у нее очень давно не было мужчины.

Она ласково провела рукой у него между ногами и хотела прильнуть губами, но он остановил ее. Все еще только начиналось. Теперь настал его черед. Он нежно уложил ее на свое место. В течение следующего часа ей казалось, что она наконец попала в рай. Она даже не подозревала, что способна получать такое удовольствие от мужчины.

Он был похож на отбойный молоток, который забыли выключить. Она умирала и рождалась вновь, она уже не кричала, а, потеряв голос, буквально ревела от восторга, а он продолжал с прежней силой любить ее, женщину, с которой познакомился только сегодня.

Неутомимость в постели была главным и единственным достоинством капитана Конрада Целлера из Комитета государственной безопасности СССР.

Поставив женщину на колени, Конни довольно подумал, что отпуск начался удачно. Привилегией отдыхать в соцстранах пользовалось только высшее руководство центрального аппарата КГБ, но для Конни сделали исключение. От него зависело благополучие одного из лучших агентов, и его отправили в ГДР на две недели.

Он бросил взгляд на включенный телевизор и увидел ликующую толпу в свете прожекторов — дело происходило в Берлине, но не мог сосредоточиться. В эту минуту ничто из происходящего в мире не имело никакого значения. Он уже чувствовал приближение вершины и занялся собой.

Для женщины это было так же чудесно. Она ревела и стонала, уткнувшись лицом в подушку. Ничего подобного в ее жизни еще не было. Она и не подозревала, что этот невзрачный, коротко стриженный мужичонка с животиком и дряблой мускулатурой окажется таким опытным и изощренным любовником.

Теперь Петра Вагнер поняла, что в нем нашла ее подруга Кристи, Кристина фон Хассель.

Петра встретила Конни в Магдебурге. Конни сидел в пивной и наслаждался уже шестой кружкой. А у Петры была встреча с офицером госбезопасности, который опекал бывших террористов, удалившихся на покой.

Чернявый капитан Хоффман из Министерства госбезопасности ГДР передал ей конверт с деньгами, которые Петра попросила на ремонт квартиры. Они зашли в пивную и сели за дальний столик. Когда Хоффман подзывал официанта, Петра неожиданно увидела мужчину, который сопровождал Кристи в Бейруте.

— Смотри-ка, — не сдержалась Петра и указала Хоффману на Конни, — я этого парня знаю.

Хоффман, который еще до встречи с Петрой выпил три порции местной водки за казенный счет, оглянулся и засмеялся:

— Да ты что? Он из советского КГБ, из разведки. Капитан Целлер. Разве ты была в Москве?

— Из КГБ? — протянула удивленная Петра. — Тогда, наверное, я ошиблась.

— Вот именно, — удовлетворенно сказал Хоффман.

— А ты его знаешь? — стараясь выглядеть равнодушной, задала вопрос Петра.

— Конечно, — отрезал Хоффман.

— А почему ты к нему не подойдешь?

— Потому что он агент-вербовщик, а мы должны делать вид, что ничего об этом не знаем, иначе русские начнут выяснять, откуда нам все это известно, — пробормотал Хоффман.

Он терпеть не мог Петру Вагнер, эту дуру-лесбиянку с ее дурацкими проблемами. Это был позор для него, что его отстранили от настоящей оперативной работы, перевели из центрального аппарата в областное управление госбезопасности и заставили заниматься этими бывшими террористами. И все из-за того, что он упустил Вилли Кайзера, позволил ему убежать на Запад. Кому, спрашивается, вообще нужна эта пьянь? Избавились от него, и слава богу.

Капитан Хоффман нахмурился. Возможно, ему не стоило быть с Петрой столь откровенным, хотя тут боятся нечего. Петра и ее друзья-террористы никогда не дадутся в руки западников живыми.

Петра Вагнер переехала в ГДР пять лет назад. Это произошло после того, как в последний четверг октября в Багдаде встретились самые опасные немецкие террористы.

Они прилетели в Ирак через различные социалистические страны. Кое у кого были сложности из-за поддельных документов, как, например, у одной супружеской пары, летевшей через Белград. Те, кого задерживали, просили пограничников позвонить по телефону и называли номер соответствующей разведслужбы.

Разведка связывалась с палестинцами. Если те подтверждали, что немцы летят по их заданию, то вопросов больше не было. В Багдаде у немцев фальшивые паспорта забирали, но багаж, в том числе оружие и спиртное, пропускали беспрепятственно.

Молчаливые сотрудники иракской службы безопасности долго возили террористов по городу, пока не убеждались в том, что пассажиры окончательно потеряли всякую ориентацию, и тогда доставляли их к двухэтажному зданию с террасой на крыше, которое принадлежало Народному фронту освобождения Палестины — самой радикальной из палестинских террористических организаций.

Дом был обставлен по-спартански: стальные, армейского образца письменные столы, зал для собраний, гора матрасов. Хорошо оборудовано было только помещение для подделки документов. Двое террористов постоянно дежурили на крыше — все боялись внезапного нападения израильских агентов.

Товарищи по террору были не очень рады видеть друг друга. Атмосфера была нервная, агрессивная. Главная цель встречи — решить, что делать с членами организации, которые перестали быть надежными.

Самой ненадежной признали Петру Вагнер.

Обычно взъерошенная, в джинсах и сабо, какой ее изображали на плакатах, она преобразилась в хорошо одетую женщину с высокой прической. Но она была потеряна для группы. «Старушка не годится даже на то, чтобы сходить за хлебом» — таково было общее мнение.

Они пришли к выводу, что Петра слишком чувствительна и слишком много сомневается. Избалованная девушка из привилегированной семьи, заблудившаяся в подполье, она так и не стала закаленным бойцом.

Через два дня после смерти Гюнтера ее увезли из Бейрута. Петра была так измотана, что ее больше нельзя было использовать в подпольной работе.

Вместе с ней в Багдад собирался полететь Фриц, но его больше не было.

Немецкие террористы учились в палестинских лагерях бесплатно, но палестинские руководители получали с них кровавую дань. Они посылали немцев на смерть, не предупреждая. Фриц погиб, когда по требованию таможенника в израильском аэропорту имени Бен-Гуриона открыл полученный от палестинцев портфель. Фрицу не сказали, что в портфель встроено взрывное устройство. Он думал, что должен только разведать систему охраны в аэропорту.

Отправленный на верную смерть, Фриц был услугой, оказанной палестинцам. В ответ палестинцы обещали немцам помощь в проведении боевых акций на территории Германии. Паспорта, авиабилеты, оружие, деньги — все это немцы получали из палестинских арсеналов.

В Багдаде немцы обсуждали несколько вариантов: пожелавших выйти из игры можно отправить в Мозамбик, Анголу, Никарагуа, на Кубу, в любое место, где правят товарищи по совместной борьбе.

Выбрали ГДР. У руководителя боевых операций Народного фронта освобождения Палестины Жоржа Хаббаша особо хорошие контакты сложились именно с восточными немцами.

ГДР согласилась принять и спрятать террористов только с тем условием, что они больше никогда не станут участвовать в боевых акциях. Выполнить это условие было легко — Петра Вагнер и другие больше не годились в террористы.

Вопрос о приеме террористов решился по вторник, когда в Восточном Берлине заседало политбюро ЦК СЕПГ. Когда террористы пересекли границу ГДР, их взяло под свое крыло Министерство государственной безопасности.

Опекой бывших террористов ведал специальный отдел Министерства государственной безопасности ГДР, состоявший из 40 человек.

В распоряжение отдела передали бывшее поместье, которое основательно перестроили. Пруд превратили в бассейн. Конюшню — в гараж. В подвале соорудили сауну, бар и спортзал с тренажерами. Здесь с бывшими террористами обсуждали все детали будущей жизни: придумывали им биографии, подбирали работу и жилье.

Им назвали номера телефонов, по которым они могли позвонить и попросить о чем угодно, но они быстро освоились и перестали нуждаться в опеке.

У офицеров МГБ, присматривающих за бывшими террористами, была только одна забота: как бы их подопечных не раскрыли.

Петра Вагнер, которую отныне звали Евой, обосновалась в небольшом городке-спутнике Дрездена, в маленькой однокомнатной квартирке. Ее устроили на работу в типографию «Дружба народов».

У Евы была крохотная зарплата, но она разъезжала на новенькой «ладе» и сразу же получила квартиру. Удивленным соседкам Ева объяснила, что она почти что политэмигрантка, — ей пришлось из-за симпатий к социализму покинуть Западную Германию, где она родилась, и искать убежище в социалистической ГДР. Но кое-какие деньги на обзаведение она из ФРГ привезла.

Петра Вагнер быстро освоилась в социалистическом государстве. По пятницам она вместе с другими домохозяйками сокрушалась в магазине, если мясо, которое она планировала купить на выходные, уже кончилось.

Слишком мелкий и слишком зеленый крыжовник тоже не радовал женщину, которая когда-то распрощалась со своей преуспевающей семьей со словами, что лососина, икра и прочая буржуазная роскошь больше не лезет ей в горло.

Осенью Петра дала объявление в местной газете: «Ищу подругу для пеших прогулок с целью совместного проведения времени». На объявление, правильно истолковав его смысл, откликнулась ее ровесница Рената, злоупотреблявшая алкоголем и столь же равнодушная к мужчинам.

Они любили друг друга в течение четырех лет, виделись почти каждый день, спали вместе. Во имя новой любви Рената даже сумела ограничить себя в выпивке. Отпуск и выходные дни они проводили на экскурсиях, которые организовывала женская туристическая группа дрезденского комбината «Роботрон». Петра увлеклась фотографией, но сама сниматься не любила. Пленки они проявляли вместе с Ренатой в ее ванной комнате.

В подвале на железнодорожной станции в Дрездене находился тир Общества содействия развитию спорта и техники. Рената занималась здесь стрельбой и однажды привела Петру, которая стала постоянной посетительницей тира и получила членский билет спортивного общества. В тире стреляли из советской малокалиберной винтовки, но винтовка Петре не нравилась. Зато когда тренер дал Петре пистолет, он увидел, что она обращалась с ним так, словно никогда не расставалась с оружием.

Тренер и не предполагал, что Петра так же умело обращается с автоматами и ручными противотанковыми гранатометами советского производства.

Счастье Ренаты и Петры продолжалось недолго.

Одной из сотрудниц типографии «Дружба народов» попался в руки экземпляр западногерманского журнала «Штерн» с фотографией разыскиваемой полицией террористки Петры Вагнер.

На этой фотографии Петра Вагнер как две капли воды была похожа на Еву из типографии «Дружба народов». Журнал передавали из рук в руки, чтобы прочитать боевую биографию Петры.

По типографии поползли слухи: новенькая — на самом деле террористка из Западной Германии. Сразу стало понятно, почему она упорно отказывалась фотографироваться вместе с товарищами по работе и часто ездила в Берлин.

Рената еще верила Петре, но окончательный удар ей нанесли из ревности. Прежняя, брошенная подружка Ренаты поехала в Западную Германию и на плакате среди других розыскиваемых преступников узнала «Еву». Кроме того, на плакате была фотография правого указательного пальца Петры Вагнер со шрамом.

Вернувшись, она пришла к Ренате, где застала ее вместе с Петрой Вагнер, и спросила счастливую соперницу:

— У тебя есть шрам на правом указательном пальце?

Петра побелела как мел.

Бывшая подруга бросила Ренате:

— Ты живешь с убийцей!

Но Рената любила Петру и выгнала из квартиры прежнюю любовницу. Ночью в постели, в порыве страсти Петра призналась Ренате: да, она стреляла в полицейских, но во время демонстраций и только для того, чтобы спасти товарищей от преследований, дубинок, слезоточивого газа и тюрьмы.

И все же Петра поняла, что ей придется уехать. Она продала мебель и подарила своей подруге цветной телевизор. В лесу они сожгли все пленки и снимки, на которых была изображена Петра.

Петра уехала. Рената получала от нее любовные письма, правда, без обратного адреса. В день рождения Ренаты Петра тайно приехала и привезла ей пуловер. В тот раз они виделись и любили друг друга в последний раз.

Капитан Хофмман придумал Петре новую биографию. Ей нашли работу — руководить детскими лагерями отдыха на комбинате тяжелого машиностроения имени Карла Либкнехта в Магдебурге.

На комбинате все с удивлением отметили, что новенькая в командном тоне разговаривает с начальством. Она непонятным образом сразу же получила двухкомнатную квартиру, и в нарушение всех законов социалистического общества к ней немедленно явились мастера, чтобы привести квартиру в порядок.

Петра сменила четыре машины за два года, что было непостижимо для соседей. Петра в порядке очередности мыла общую лестницу, но кое-как и сухой тряпкой, что еще больше раздражало завистливых соседей.

В Магдебурге любвеобильная Петра нашла себе новую подругу — директрису гимназии. Она была замужем и имела уже взрослого сына. Вдвоем они днем возделывали крохотный садовый участок, а ночью любили друг друга. Между посевами картофеля, салата и помидоров появился автомобильный прицеп — приют любви с оранжевыми занавесками на окнах.

После восьмой кружки капитан Хоффман ушел из пивной, словно по забывчивости забыв заплатить за выпитое. В другой раз Петра Вагнер его бы вернула и заставила выложить на стол денежки. Зарплаты и ежемесячного пособия от Министерства госбезопасности ей едва хватало. Но сейчас она хотела поскорее избавиться от Хоффмана. Она решила познакомиться с любовником Кристи.

Петрой двигала ревность. Кристи отвергла ее, Петру, но отдалась этому парню. Что же такого нашла в нем Кристи, которая по глупости решила, что мужчина может любить женщину лучше, чем сама женщина?

Все оказалось проще, чем она предполагала.

Петра была уже не молода и вовсе не хороша собой. Но Конни второй день был в отпуске и чувствовал, что ему нужна женщина. Тем более что алкогольные напитки, даже самые слабые, рисуют окружающий мир в радужном свете. Его наставник подполковник Маслов говорил в таких случаях, что не бывает некрасивых женщин, бывает мало водки.

Он охотно повел Петру с собой. А когда выключил свет в комнате, ее внешность и вовсе потеряла всякое значение.

Конни открыл глаза и потянулся, но свет включать не стал. Он сонно размышлял над тем, как ему теперь избавиться от этой бабы. Больше она его не интересовала.

— А знаю твою жену, — вдруг сказала Петра.

От неожиданности Конни подскочил.

— Успокойся, — сказала Петра. — Я видела вас вдвоем в Бейруте.

— Где? — еще больше изумился Конни. — Да моя жена никогда...

И тут до него дошло, что Петра видела его с Кристи. Его охватило тревожное чувство: этого не должно было произойти. Кто такая эта женщина?

— Успокойся, — повторила Петра. — Я из Министерства госбезопасности ГДР, работаю вместе с капитаном Хоффманом у генерала Штайнбаха.

Конни это известие совсем не обрадовало. Восточным немцам ничего не стоит сочинить в КГБ бумагу об аморальном облике капитана Целлера. Может быть, эта баба нарочно затянула его в койку, чтобы проверить его стойкость? Вот позору-то будет, представил себе Целлер.

Петра угадала, о чем он думает.

— Перестань, — сказала она, — я знаю, что у вас с Кристи роман. А мы были подругами с детства, но потом рассорились. Я просто решила понять, что она в тебе нашла. Знаешь, что такое женская ревность? Чужой мужик всегда лучше.

Конни чуть успокоился, когда Петра стала рассказывать ему о Кристи. Может, она и не врет, подумал он. Хотя трудно поверить в чистую случайность.

Петра вновь стала прижиматься к Конни, пробуждая в нем желание. Она настойчиво гладила его обеими руками, чувствуя, как он откликается.

— Так у вас с Кристи это серьезно? — невинно спросила Петра. — Она неплохая женщина. Из нее выйдет прекрасная жена. Вы давно вместе?

Петра еще сильнее приникла к нему, и мысли у Конни стали путаться.

— Давно, давно, — сказал Конни. — Она тогда еще не работала в ведомстве по охране конституции.

Это был день открытий! Значит, Кристи работает в западногерманской контрразведке! Полицейская свинья! Кристи просто шпионила за ней... Петра содрогнулась, но Конни принял это за проявление страсти.

Странная женщина, лениво подумал Конни, закрыв дверь за Петрой. Во второй раз он вряд ли ей соблазнится, но один раз — это было неплохо, подумал он, засыпая.

Конрад Целлер родился в Казахстане, куда выслали немцев в 1941-м. Он появился на свет через девять месяцев после того, как его отец получил разрешение повидать жену.

Его отца миновало худшее. Начальник райотдела НКВД перед войной, он не стал спецпоселенцем и даже не был уволен из органов, а продолжал служить. Он остался чуть ли не единственным немцем в органах госбезопасности. После войны он воевал против бандеровцев и даже получил орден. Наконец ему разрешили забрать семью из Казахстана.

Но в дороге его жена заболела воспалением легких. Когда он снял ее с поезда, она уже была при смерти. Похоронив жену, Целлер-старший отдал мальчика в детский дом. Он служил заместителем начальника районного отдела Министерства внутренних дел и почти не бывал дома, где же ему было возиться с ребенком.

В детском доме Конраду совершенно не нравилось. Когда дети играли во дворе, воспитательница поймала в сарае курицу и топором отрубила ей голову. Но она не смогла удержать птицу, и та носилась по двору без головы. Конрад с визгом убежал в деревню. Его искали два дня и нашли, голодного и замерзшего, в заброшенном сарае.

В другой раз ему срочно надо было в туалет. Но воспитательница его не пустила — они учили стихотворение о Ленине, велено было не отвлекаться, и мальчик напустил в штаны. В наказание его заперли в дровяном сарае, а там лежал топор. Он взял топор и попытался взломать дверь. Из этого ничего не вышло, но на шум прибежал разгневанный директор. Когда он открыл дверь, чтобы битьем привить мальчику любовь к ближнему, Конрад проскользнул у директора между ног и опять удрал.

В семь лет начались занятия в школе. Школа ему понравилась еще меньше детского сада. Зато после занятий можно было болтаться на улице. Он бегал с сорванцами из дворовой банды, которая наводила страх на всю округу. Впрочем, когда в поле зрения не оказывалось чужаков, он сам превращался в мальчика для битья. Его дразнили «Фрицем» или «фашистом» и били нещадно.

А потом началась самая дрянная часть его детства. Однажды появился его отец, которого он уже почти забыл. Отец сказал, что у мальчика появилась новая мать и что он забирает его домой.

Первое время все шло благопристойно. Но спокойная жизнь закончилась, когда мачеха родила своего ребенка. Теперь Конрада стали бить за малейшую провинность.

Однажды за плохие оценки родители заперли его в воскресенье в комнате одного, а сами ушли в гости. Вместе с мальчиком срок отбывал волнистый попугай в клетке.

Мальчик открыл клетку, вытащил попугая и распахнул перед ним окно. Он сделал это для того, чтобы насолить своему старику. Кроме того, он на собственной шкуре почувствовал, как хреново быть запертым. Когда поздно вечером отец недоуменно спросил, куда подевался попугай, мальчик все честно рассказал. Целлер-старший совершенно рассвирепел.

Он бил мальчика кулаками, ногами и куском кабеля. Его жена даже попыталась оттащить отца. Конрад удрал. Он и в самом деле думал, что отец его убьет.

Он пошел в горсовет и сказал секретарю, что не хочет возвращаться домой. Он расстегнул рубашку и показал синяки. Пожилая женщина в очках и вязаной кофте выслушала его, вздохнула и сказала:

— Но ведь нельзя же было выпускать попугая.

Она отвела мальчика домой. Некоторое время отец вел себя мирно, потом все началось сначала.

Конрада опять отправили в детский дом. В красном уголке стояла музыкальная аппаратура. Конрад мечтал стать ударником. Он сел на место ударника и стал наяривать. Тут пришел воспитатель и ударил его так, что он свалился с табурета. За год он наелся этого новомодного метода воспитания досыта, украл велосипед у какого-то ротозея и подался назад к отцу.

Целлер-старший получил повышение, звание подполковника, перебрался в новую большую квартиру и милостиво принял сына.

Тем временем Конни уже обзавелся подружкой того же возраста, что и он, такой же, как он, замкнутой и испуганной. У них обнаружился один общий интерес — побыстрее смыться из дома и целоваться до опупения где-нибудь на чердаке. В этом деле Конрад преуспел здорово.

Подружка подарила ему цепочку на шею, а отец сорвал ее с криком:

— Это бабская цацка! А ты мужик!

Тут Целлер-старший сообразил, что с сыном надо что-то делать.

— Хочешь стать разведчиком? — спросил он сына.

Конни неопределенно пожал плечами. Отец принял его жест за знак согласия. Он взял отпуск и поехал в Москву. Две недели в ведомственной гостинице он терпеливо ждал приема у заместителя председателя КГБ, который помнил Целлера по Украине, и дождался.

Зампред был рад видеть старого сослуживца, снисходительно вник в его отцовские проблемы и сказал:

— Получит аттестат, привози в Москву, возьмем в Высшую школу. Будет чекистская династия.

Вернувшись домой, Целлер-старший пошел в школу договариваться о приличном аттестате. Порадовать его учителям было нечем. Конни успевал только по немецкому, потому что мать, пока жива была, говорила с ним на родном языке. По остальным предметам сын чекиста плавал. Но школа пошла навстречу заслуженному работнику органов госбезопасности, и через год Конрад Целлер приехал в Москву с вполне приличным аттестатом.

За это время приятель отца из просто зампреда стал первым заместителем председателя КГБ, и Конни без разговоров приняли в Высшую школу. Учился он из рук вон плохо, но тень первого зампреда надежно хранила его от всех неприятностей.

Все курсанты мечтали о зачислении в ПГУ, Первое главное управление КГБ — внешнюю разведку. Но известно было, что всех не возьмут.

— В ПГУ нужно въезжать на белом коне, — говорил начальник курса и требовал только отличных оценок от тех, кто хочет служить в разведке.

Когда Конни приняли в Высшую школу КГБ, он решил жениться. Он помнил, как начальник курса пришел к нему домой познакомиться с будущей женой чекиста. Седовласый полковник снял пальто и, потирая руки, с порога спросил:

— Так, где у вас книги?

Книг у Целлера было немного, но, когда полковник угостился пирогами, которые все утро пекла невеста Конни, он расчувствовался и благословил брак.

Одной женщины Конраду Целлеру было мало, он понял это через два месяца после свадьбы. Целлер был ходок, каких мало. Он любил эту работу. Но при этом в определенном смысле он хранил верность жене. Он продолжал любить ее. Она была хозяйкой дома, матерью его детей. Остальные женщины интересовали его только в постели.

Ему нравились все женщины, которых ему удавалось увлечь в постель. Каждая из них была ему интересна — хотя бы один раз. Его волновало само сознание того, что ему открывается нечто новое. Но были и женщины, с которыми он встречался несколько месяцев подряд, иногда целый год. Он называл их сексуально одаренными.

Только одна женщина была ему неприятна в постели. И именно с ней он должен заниматься любовью многие годы. Это была Кристи, Кристина фон Хассель. Она не понравилась ему с первого раза. В отличие от многих других мужчин, он не любил девственниц. Он не находил ничего интересного в том, чтобы тратить силы и время на тело, которое ничего не умеет.

Затем Кристи преобразилась

В своих фантазиях, разглядывая порнографический журнал или вставив в видеомагнитофон порнокассету, мужчины часто мечтают встретить сексуально агрессивную женщину, которая возьмет на себя инициативу. Им кажется, что это необыкновенно увлекательно. Но в реальной жизни такие женщины никому не нравятся.

Но Кристи была его палочкой-выручалочкой, его талисманом.

Целлера взяли в первый главк КГБ, несмотря на тройки. Но на дальнейшие благодения он рассчитывать уже не мог. Его однокашники один за другим разъезжались по резидентурам, возвращались, получали новые назначения, а он как пришел, так и сидел все за тем же скучным столом и рылся в архивных делах. Его спасла Кристи, Кристина фон Хассель.

Генерал Калганов, разглядев в нем скрытые достоинства, поручил Целлеру осуществить вербовку в постели. Молодая западная немка, которая приехала в Москву и которую соблазнил лейтенант госбезопасности Целлер, не представляла в тот момент особого интереса для советской разведки. Это был, скорее, эксперимент.

Генералу Калганову нравилось, как начальник разведки ГДР генерал Вольф работал с женщинами. Тем более что сам Калганов не уважал женщин, считал, что все они слабы на передок.

Агенты генерала Вольфа, молодые и красивые мужчины, легко вербовали западногерманских одиноких женщин, которые имели доступ к государственным секретам. Они отдавали секреты в обмен на любовь. Такая вербовочная операция называлась «медовой ловушкой».

Когда Кристину фон Хассель взяли в контрразведку, она превратилась в важнейшего агента. И тогда Целлер почувствовал, что его ценят.

Он получил повышение. Ему дали квартиру в новом доме, который построило хозяйственное управление КГБ. Его жене, биологу по образованию, помогли перейти на работу в академический институт. Детей устроили в английскую спецшколу.

Конрад Целлер понимал, что он всем, по существу, обязан Кристи. Но в постели ему с ней не нравилось, совсем не нравилось. Целлеру просто не приходило в голову, что он вот уже много лет, как проститутка, по приказу бандерши исправно обслуживает денежного клиента, старательно изображая при этом любовь и страсть.

Генерал Штайнбах застрелился под утро, примерно в половине пятого.

Если бы он продержался еще несколько часов, он бы, скорее всего, остался жить. С рассветом к нему бы вернулись мужество и силы. Но в ноябре светает поздно, а предрассветные часы — самые мучительные для тех, кто не может уснуть. Генерал не дождался рассвета.

Его дом был заполнен призраками. Все его страхи словно материализовались в этих призраках, которые ночь напролет хозяйничали в доме. Только генерал никому о них не рассказывал. Генерал жил один.

Он не мог заснуть, потому что призраки расхаживали по дому, шумели, не обращая внимания на хозяина, громко переговаривались между собой. Убитые, раненые, искалеченные — все, кого он когда-либо встречал, опять пришли к нему. Прошлое вернулось.

Иногда он вообще не мог заснуть. Уставший мозг отказывался отключиться. Или в лучшем случае ему удавалось задремать под утро, приняв сильное снотворное, которое врач в ведомственной поликлинике согласился выписать только из уважения к старым заслугам генерала.

Занавески он не задергивал, чтобы, проснувшись утром, сразу понять, где находится. В спальной на стене висело купленное покойной женой большое зеркало, так что он не чувствовал себя одиноко. Но жена улыбалась ему с фотографии.

Ночью он вспоминал все. Он видел не только фигуры людей, но и слышал звуки выстрелов, треск взорванных и горящих домов, чувствовал запах тлеющих матрасов и свежей крови. Он слышал свист пуль и грохот взрывов.

Сны он видел, к счастью, не каждый день, но если уж сон снился, то это обязательно был кровавый кошмар.

В бога генерал не верил, друзей — после смерти жены — он растерял, и некому было его утешить и разделить с ним горькие часы воспоминаний. Бывали недели, когда он крепко пил, но алкоголь облегчения не приносил, только легкость в теле.

Парень, которого он застрелил в Бейруте, посетил его на той неделе. Парень был весь в крови, потому что генеральская пуля попала ему прямо в затылок. Выстрел был удачный. Впрочем, генералом он еще тогда не был.

На той неделе ночью в очередном кошмаре он опять побывал в Бейруте, где чуть было не пристрелили и его самого. В Бейруте было хуже всего. Когда они убрали Башира, в Ливане вновь разгорелась война. Но в этой войне христиане, оставшись без лидера, потерпели поражение.

Даже то, что произошло много лет назад, совершенно не забылось. Гости из прошлого навещали его один за другим. Они совсем не потеряли к нему интерес.

Встав утром, генерал спускался за газетой и пил кофе без молока. После завтрака звонил невестке и спрашивал, как дела у внука. Он не напрашивался на сочувствие. Невестка предлагала приехать и приготовить обед, постирать или прибраться в доме. Генерал неизменно говорил «нет».

Он поехал тогда в Бейрут по своей воле. Теперь он должен за все заплатить. Тогда страдали другие. Настала его очередь.

Когда-то он был женат. У него была семья. Он приезжал домой, и все были рады ему. А он думал только о том, куда он поедет в следующий раз.

Он ушел от жены за два года до ее смерти. Ушел к другой женщине, моложе, красивее и веселее. Ему хотелось, чтобы рядом был кто-то веселый и жизнерадостный. С веселой женщиной он быстро расстался, но и жены уже нет.

Пока она была рядом с ним, он жил вне той раковины, где скопились его воспоминания. Когда ее похоронили, створки раковины сомкнулись над ним.

Иногда он думал, что ему следует умереть. Странно, что он вообще прожил так долго и сидит у себя дома на кухне, гуляет, смотрит телевизор, ест, спит. Спит, правда, плохо.

Хуже было, когда он располагался на ночь рядом с остывающими трупами, рядом с людьми, которых он послал на смерть, рядом со своими мертвыми офицерами.

Ему хотелось иногда увидеть какой-нибудь приятный сон. Раньше, засыпая, он любил представлять себе любовные сцены. В конце концов много месяцев он вынужденно проводил без женщин. Но любовные сцены быстро оборачивались кошмарами. Мысли соскальзывали в ту же пропасть.

В постели он читал исключительно военные романы и детективные истории. Вышибал клин клином. Он знал, что война для него кончилась. Но он скучал по войне, по тайной войне, которую вел всю свою жизнь.

Он застрелился из именного пистолета, подаренного ему двадцать четыре года назад советскими друзьями. Это было старое и надежное оружие. Генерал сам чистил и смазывал пистолет и держал его в домашнем сейфе. Пистолет не был зарегистрирован, и, выйдя на пенсию, генерал сдал только табельное оружие.

Он не собирался уходить из жизни. Но все началось в тот день, когда он пошел на пышное представление в музыкальный театр «Фридрихштадт-палас». Это был самый знаменитый театр во всей стране, в основном для иностранных туристов, и достать туда билеты было совершенно невозможно. Веселая музыка, яркие костюмы, длинноногие и пышногрудые девочки, пляшущие канкан, понравились генералу. Такого канкана не было и в Париже.

В зале не было ни одного пустого места. Но после перерыва что-то случилось. В зале шушукались, переговаривались, зрители потеряли интерес к пляшущим девочкам. Потом зрители стали исчезать целыми рядами. В конце концов осталось не больше двадцати человек.

Генерал не мог понять, что, собственно, произошло, да и, отвыкший от женского общества, не в силах был оторвать глаз от сцены. Ему показалось, что в знак благодарности к оставшимся зрителям девочки задирали ноги выше обычного. Впрочем, несколько пар ножек, похоже, тоже испарились в неизвестном направлении.

Только выйдя из театра, генерал узнал, что в этот вечер фактически перестала существовать граница между Западной и Восточной Германией. Послевоенный раскол Германии уходил в прошлое. Контрольно-пропускные пункты были открыты, и граждане Германской Демократической Германии ринулись на Запад за бананами и воздухом свободы.

Для большинства берлинцев это была бессонная ночь счастья. Никогда еще — ни до этого дня, ни после — восточные и западные берлинцы не были так рады друг другу.

Но отставной генерал Штайнбах, бывший начальник одного из управлений Министерства государственной безопасности ГДР, понял, что его страна, в которой он вырос и которой служил, обречена. А в другой стране ему делать нечего. В другой стране его могут посадить в тюрьму.

Мысли о тюрьме пришли к нему в голову, когда он прочитал о том, что приговор по делу профессора Фохта отменен и он освобожден из заключения.

Когда-то доктор Фохт спас его от верной смерти в русском плену. Штайнбах ничего не сделал, чтобы помочь Фохту, когда его арестовали. Рано или поздно за предательство приходится платить.

Капитан звонил генералу Штайнбаху с шести утра. В первый раз он набрал номер генеральской квартиры еще у себя в Магдебурге. Никто не снял трубку, и капитан решил, что генерал еще спит. Он побежал на вокзал, чтобы успеть на первый берлинский поезд. С вокзала он позвонил опять, и вновь никто не ответил. Он стоял в будке, слушая гудки и тупо глядя на большую надпись на стене: «Германия — это немецкая марка минус социализм».

В Берлине творилось нечто невообразимое. Никто не работал. Народ ликовал. Улицы были забиты машинами. Все ехали в сторону Западного Берлина. Оттуда возвращались поздно вечером с подарками и грошовыми покупками — западных денег ни у кого не было. Дети сладостно жевали бананы. Все урны были забиты банановой кожурой. Капитан с трудом пробирался в сторону генеральского дома и крутил диск каждого автомата, попадавшегося ему на пути.

В последний раз он безуспешно позвонил из каморки консьержки в генеральском доме.

— Я его сегодня не видела, — сказало сморщенное существо, которое, похоже, никогда не было молодым.

Капитан обнаружил, что и старушка изменилась. С ее пиджачка исчез значок Социалистической единой партии Германии.

Капитан был в полной растерянности. Его светлые

волосы покрылись паутиной дождя, плащ намок, с самого утра он ничего не ел, но есть и не хотелось.

В отличие от большинства берлинцев, он не ждал ничего хорошего от новой жизни. Офицеры госбезопасности, да еще с таким прошлым, как у него, окажутся в беде.

У него оставалась маленькая надежда на русских — может быть, они его вывезут к себе. Но русские, похоже, никого не брали на свой корабль. Еще вчера весь день он пытался связаться с офицерами представительства КГБ СССР.

Но тех, кого он знал по прошлым делам, найти не удалось: вероятно, закончив командировку, они уже вернулись в Союз. Никто другой в большом особняке в Карлсхорсте за высоким забором, рядом с музеем капитуляции фашистской Германии, с ним разговаривать не захотел. По голосу дежурного было ясно, что советским офицерам сейчас своих проблем хватает.

И главное — ему совершенно не с кем было посоветоваться! Генерал Штайнбах, его прежний начальник и покровитель, оставался последней надеждой. Капитан верил в генеральские мозги. Штайнбах способен был что-то придумать в любой ситуации. Ему самому тоже придется не сладко, думал капитан. Он не знал, что генерал уже освободился от всех проблем.

Прямо возле генеральского дома, что раньше было невозможно, устроили нелегальный рынок поляки.

Немцы от души презирали неряшливых торгашей с востока, но не упускали случая сэкономить пару-другую марок, покупая у поляков, а не в магазине.

Когда в период расцвета сотрудничества социалистических стран ГДР ввела безвизовый обмен с Польшей, поляки наводнили Восточный Берлин. Они меняли злотые на марки и скупали в магазинах все, что могли. Немцы возмущались. Рабочие ворчали и жаловались своим партийным секретарям, городская интеллигенция рассказывала анекдоты: «В Берлине, на Александр-плац перестрелка. Что случилось? Поляки защищают от немцев свой магазин».

Соглашение быстро пересмотрели. Берлинские магазины были лучшими во всем социалистическом лагере, но на всех, кто шел к социализму, товаров не хватало.

Когда через несколько лет польское правительство разрешило своим гражданам ездить на Запад, они рвались уже не в Восточный, а в Западный Берлин, где торговали на черном рынке. Поляки продавали берлинцам по дешевке то, чего так много было на Западе и чего так мало на Востоке — детскую одежду, масло, колбасы, шоколад, сигареты, нижнее белье. За один удачный выезд в Берлин на черном рынке поляк зарабатывал больше, чем дома за целый месяц.

Капитан купил у поляка две горячие сосиски с горчицей и съел их, не замечая вкуса.

На перекрестке Карл-Маркс-аллеи и улицы Парижской коммуны, где над домом еще красовалась реклама болгарской фирмы «Винимпекс» — напоминание о разрушенном СЭВе, — капитан окончательно решился.

Выбора у него и не было. В этом городе ничего хорошего его не ждало.

В небо по-прежнему вонзалась вывеска главной партийной газеты «Нойес Дойчланд», но все это были декорации исчезающей цивилизации. Современная Атлантида погружалась в бездну истории.

На Карл-Маркс-аллее, которая ужасно напоминала ему Ленинский проспект в Москве и которая раньше называлась Сталин-аллея, перед большим книжным магазином распродавались привезенные из Западного Берлина дешевые книги — переводные американские детективы и немецкое издание книги Михаила Горбачева «Чего же я на самом деле хочу».

Капитан злобно посмотрел на фотографию советского генерального секретаря: «Этот чертов парень сломал нам всю жизнь!»

Молот и циркуль, которые красовались на гербе Германской Демократической Республики, куда-то исчезли. Вместо них зияла черная дыра. Спроса на циркули не было, а молоты, вернее, молотки явно растащили берлинцы.

Капитан поразился: сколько людей с молотком и стамеской в руках спешили к Берлинской стене.

Стену больше никто не охранял. Наблюдательные вышки опустели. Злобных служебных собак заперли в вольерах. Несколько служащих пограничной полиции, которых оставили у Бранденбургских ворот, индифферентно наблюдали за полчищами туристов, которые фотографировались для семейных альбомов.

Через пробоины в стене видны были горы мусора, где сразу же обосновались какие-то бродяги, а за ними открывалась панорама аккуратных домиков в западной части Берлина.

Восточные немцы зачарованно разглядывали жизнь другого Берлина. Они столько лет жили словно за глухим забором и не знали, что там у соседа за стеной.

Тысячи берлинцев с обеих сторон стены набросились на стену. Ни холод, ни моросивший дождь не могли им помешать. Как трудолюбивые муравьи, они облепили стену и долбили ее. Каждый старался что-то отломить себе на память или на продажу. Запасливые пришли с хорошим инструментом, молодежь ковырялась перочинными ножами.

В зависимости от размера и формы кусок Берлинской стены стоил от трех до семидесяти марок. Солидные мужчины и одетые в меха женщины, которые обыкновенно вкладывают деньги в картины старых мастеров, сосредоточенно прогуливались вдоль торговцев стеной, выбирая кусочек получше.

Знатоки искали кусочки с надписями. Уловив спрос, западные немцы украдкой сами разрисовывали свой товар. Только восточные немцы, обмирая от счастья — они зарабатывали настоящие западные марки, — продавали свой товар очень дешево. Это был их первый опыт общения с настоящим рынком, и они еще не открыли для себя, что цена определяется спросом.

Капитан добрался до Западного Берлина в толпе восточных немцев, которые через Бранденбургские ворота отправлялись в западную часть города, как на экскурсию в музей. Наиболее торопливые через дыры в стене проникали на Потсдамскую площадь. С географией проблем не возникало. Надо было взять направление на рейхстаг — и неминуемо попадешь в западную часть города.

Западный Берлин был благодушен и спокоен.

В кондитерских пили кофе с пирожными пожилые дамы, демонстрирующие завидную осанку.

Для восточных немцев начиналась новая жизнь. Они приникали к витринам, прикидывая, что они купят в первую очередь, когда у них появятся настоящие западные марки.

Единственная очередь выстроилась к захудалому кинотеатру, где в пристройке крутили порнографические фильмы, а в большом зале на помосте несколько голых мужчин и женщин без вдохновения имитировали любовные сцены. Интересовались этим зрелищем, похоже, одни восточные немцы.

Капитан увидел, как почтенный отец семейства, вероятно член партии, решительно встал в очередь. Его пожилая жена отвела в сторону двух дочерей-подростков:

— Давайте подождем. Пусть отец наконец посмотрит, что это такое.

Капитан госбезопасности Хоффман вздохнул и пошел искать полицейский участок. Он хотел было предложить свои услуги американцам, но потом передумал. Западные немцы скорее оценят то, что он может им предложить.

Когда осенью 1989 года началось крушение социализма в Восточной Германии, Петра Вагнер была единственной, кто этому не радовался. Она словно предчувствовала, чем это для нее закончится.

Последний день на свободе она провела вместе с подругой, школьным директором. Они вместе отправились в Гарц отметить День учителя. Директор, знакомя Петру со своими сослуживцами, представляла ее как «вдову, которой трудно живется».

Петра Вагнер действительно плохо выглядела, с трудом ходила, часто присаживалась, чтобы отдохнуть. Новым знакомым она сказала, что теперь, после крушения ГДР, она намеревается открыть пиццерию.

Вернувшись в Магдебург, она повела подругу к себе домой, чтобы вместе провести ночь. Перед домом ее ждала полиция с ордером на арест, выданным много лет назад. Капитан Хоффман рассказал о Петре Вагнер все, в том числе назвал адрес ее любовницы.

После крушения ГДР из тюрьмы выпустили профессора Фохта, которого приговорили к пожизненному заключению за то, что он передал на Запад сведения о химическом оружии Варшавского договора.

В нескольких газетах Кристи обнаружила его рассказ о тюремной жизни. Она внимательно вглядывалась в фотографии человека, который и по ее вине тоже просидел в тюрьме четырнадцать лет.

Фохта поместили в одиночку. Камеры рядом с ним были пусты. В течение первых пяти лет он видел человека три раза в день по тридцать секунд. В 5.30 утра ему приносили кофе и ведро с водой для мытья туалета. В обед этот же человек приносил еду и сухой паек. Вечером надзиратель еще раз открывал дверь и тут же закрывал — это была вечерняя проверка.

На получасовую прогулку его водили каждый день, но даже надзирателя Фохт не мог увидеть в лицо. Когда профессор выходил из камеры, надзиратель стоял за дверью, видна была только его рука. Потом Фохт шел один по лестнице и выходил в прогулочный дворик. Кто-то невидимый запирал за ним дверь. Только на сторожевых вышках виднелись силуэты охранников с автоматами.

Однажды профессор предложил надзирателям воспользоваться опытом прусских тюрем прошлого столетия: надевать на лицо особо опасных заключенных черную маску. Тюремной администрации это бы значительно упростило жизнь.

Прогулочный дворик был в определенном смысле просто большой камерой — только без крыши. Летом вырастало немного травы, иногда Фохту удавалось сорвать одуванчик.

Во время прогулки запрещалось бегать, прыгать, нагибаться, становиться на камень и кричать. Зимой запрещалось еще лепить и бросать снежки. Разрешались только простейшие гимнастические упражнения — взмахи руками, приседания.

В тюрьме профессор Фохт работал: снабжал пружинками и шайбами станочные шурупы. Норма — 4150 штук в день. Рабочий день — восемь часов. К концу дня у него болели руки и ломило спину. Не работать было нельзя, за отказ выйти на работу отправляли в карцер.

Более умелые заключенные выполняли нормы на 110 процентов. Многие готовы были работать по 10—11 часов, чтобы заработать несколько лишних марок на курево. Стахановские подвиги этих умельцев приводили к тому, что, пока Фохт сидел, нормы трижды повышали. Сам он едва справлялся с ежедневной нормой.

В камере Фохт то мерз, то мучился от жары — в зависимости от того, начался или закончился отопительный сезон.

Кормили в тюрьме, по мнению профессионального физиолога Фохта, неразумно, по нормам прошлого столетия, когда заключенный занимался тяжелым физическим трудом. Заключенным давали слишком много жиров и мало белка. Легко было растолстеть.

Фохт сам себе прописывал диету. Зарабатывая в месяц от четырнадцати до девятнадцати марок, он покупал в тюремной лавочке не сладости, как все, а творог.

Психологически профессор чувствовал себя лучше, чем другие заключенные. Большинство осужденных считали свое пребывание в тюрьме несправедливым и усугубляли свои страдания, день за днем спрашивая себя: за что же меня постигла такая несправедливость?

Фохт знал, за что его посадили.

Многие заключенные выходили на работу полубольными, хотя тюремные правила разрешали взять на три дня освобождение по болезни. Но они боялись оставаться один на один с собой.

Фохт не страдал от одиночества. Он был равнодушен к еде, поэтому охотно брал освобождение по болезни и оставался в камере. Он нуждался в интеллектуальной работе.

Он очень много писал, но держать в камере записи не разрешалось. Время от времени у него все отбирали. Иногда это происходило каждые несколько дней, иногда раз в три месяца. Если Фохт занимался математическими расчетами, то это изъятие было для него болезненным — он не мог продолжать работу, но старался прежде всего удержаться от жалости к самому себе.

К изоляции Фохт быстро привык. Профессору были известны все опасности одиночного заключения. Нормальный человек становится шизоидным типом, шизоид превращается в шизофреника. Рассыпается шкала ценностей, реакции становятся неадекватными. Известный случай: приговоренному к пожизненному заключению вдруг сообщают об освобождении. В ответ он задает вопрос: а что сегодня будет на обед?

Иногда у заключенных возникают бредовые идеи. В какой-то момент Фохту показалось, что его должны вот-вот освободить. Он только об этом и говорил. Например, слышал звук въезжающей во двор автомашины и считал, что это привезли указ о его освобождении. Дружески расположенный к нему уборщик тщетно пытался вывести его из этого состояния. Эта бредовая идея несколько раз охватывала Фохта.

Одиночка опасна и тем, что ведет к отупению. Эта опасность преодолевается с помощью телевизора. По тюремным правилам ГДР заключенному разрешалось смотреть телевизор один час в неделю.

Тюремная администрация поступала по-своему: сажала Фохта перед телевизором раз в квартал сразу на восемь часов. Для таких просмотров выбирались специальные дни, например день памяти жертв фашизма или день Национальной народной армии ГДР, когда часами произносились одни и те же речи и показывали марширующие колонны.

Тем не менее профессор старался справляться с психологическими проблемами. Он говорил себе: самое длительное тюремное заключение состоит из крошечных отрезков времени и задача состоит в том, чтобы каждую секунду если и не испытывать какое-то удовольствие, то хотя бы сохранять равновесие. Так можно выстоять.

Он вставал очень рано — примерно в половине четвертого утра, чтобы до подъема почитать или позаниматься математикой. До обеда работал, после обеда немного спал. Ложиться запрещалось, но Фохт научился спать сидя. После обеда опять работа, а вечером ему разрешили лежать — из-за болезни ног.

В половине восьмого вечера в тюрьме был отбой, выключали свет. Фохт ложился еще раньше.

В тюремной библиотеке было три тысячи книг, и Фохт наслаждался. Он обнаружил собрания сочинений Шекспира, Гейне, Ромена Роллана, Гёте, которые плохо раскупались в магазинах и оседали в тюремных и иных библиотеках...

Фохту разрешили выписывать медицинский журнал, и профессор прочитывал каждый номер от корки до корки.

Он занимался теорией игр, а кроме того, играл в шахматы сам с собой. Он научился это делать в темноте. Вечером, ложась спать, он раскладывал доску рядом с собой на постели и преспокойно играл после отбоя. Первое время надзиратели отбирали у него доску, потом смирились.

Фохт не протестовал, не отказывался работать, но он вел отдельное от других заключенных интеллектуальное существование, то есть оказался инородным телом в тюремной повседневности. Фохт пытался защититься от тюремной действительности с помощью отстраненности. Эта строптивость раздражала тюремщиков.

Раз в месяц он получал письмо от жены — один лист бумаги, исписанный с обеих сторон. Раз в три месяца она приходила на получасовое свидание.

Если в течение трех месяцев не удавалось ни с кем и словом перемолвиться и вдруг разрешали поговорить целых полчаса подряд, то через десять минут он с непривычки чувствовал себя так, словно без подготовки спел оперу Вагнера. Язык не слушался, и однажды он даже потерял голос.

Поскольку у Фохтов было шестеро взрослых детей, то каждый из них был темой трехминутного разговора. Еще две минуты посвящались самочувствию жены профессора. Остальное уходило на препирательства с охраной. Иногда при встрече присутствовали два офицера госбезопасности, тогда Фохт даже не мог подать жене руку. Их рассаживали по разным углам. Говорить о своем деле заключенным запрещалось.

После нескольких лет в одиночном заключении можно было просить о переводе в общую камеру. Но сами надзиратели советовали Фохту этого не делать:

— Вы не сможете привыкнуть к жизни с другими заключенными.

Они оказались правы. Когда Фохта поместили в общей камере с заключенными-уголовниками, он впервые почувствовал, что такое тюремная среда.

Для сидевших в камере он был, во-первых, новичком, над которым полагалось измываться, и, во-вторых, слабым физически интеллигентом, вдвойне достойным презрения.

Вся предыдущая жизнь приучила профессора к тому, что, когда он говорит, его слушают со вниманием. В камере его никто не слушал. Над ним потешались. Одним из любимых развлечений сокамерников было бросать профессору в миску испражнения.

Фохт не получал посылок, не курил, словом, ничем не мог завоевать симпатии товарищей по камере.

Через год в камеру привели новичков. Положение Фохта — теперь уже «старичка» — должно было улучшиться, но именно в этот момент его отправили в карцер.

На сей раз новички были не обычными уголовниками, а бывшими высокопоставленными функционерами, осужденными за экономические преступления, то есть интеллигентными людьми. Фохт буквально вцепился в них, радуясь возможности поговорить с образованными людьми, но уполномоченному госбезопасности в тюрьме эти контакты не понравились, и професора перевели в карцер.

В карцере было очень холодно. Два дня выдавали только по 400 граммов хлеба в день, каждый третий день приносили что-то горячее. Максимальный срок пребывания в карцере не должен был превышать 21 дня. Фохт провел там втрое больше, но как физиолог он сумел сохранить себя: он разламывал хлебную пайку на равные порции и съедал их каждый час.

Кристина фон Хассель читала рассказ профессора со странным интересом. С недавних пор ее преследовала пугающая мысль: а не окажется ли она сама за решеткой?

Вот ведь Вилли Кайзера, который вернулся на Запад добровольно, все-таки не простили. Кайзер уверял, что он вовсе не собирался переходить в ГДР, что его, опоив наркотиками, похитила советская разведка. А что касается его пропагандистских выступлений, то он был вынужден притворяться, чтобы сохранить себе жизнь. Тем не менее его судили и приговорили к четырем годам тюремного заключения.

Но Кристи успокаивала себя. Все это выяснение внутригерманских отношений. Западногерманская контрразведка сумела выявить только разведчиков бывшей ГДР, потому что получила доступ к материалам Министерства госбезопасности Восточной Германии. Но она-то работала на советскую разведку. О Кристине фон Хассель восточные немцы ничего не знали и, следовательно, не могли ее выдать.

Петра Вагнер повесилась у себя в камере. Ночью она выдернула провод из стоявшего в камере старого радиоприемника. Один конец привязала к вентиляционной решетке, из другого скрутила петлю. Она встала на стул, просунула голову в петлю и сильным движением ног оттолкнула стул. Он упал с грохотом, но надзиратель был в другой стороне тюремного коридора и ничего не слышал. Ее труп обнаружили только утром.

Следствие пришло к выводу: это самоубийство через повешение. Но на всякий случай, чтобы исключить сомнения, была проведена тщательная экспертиза. Если кто-то из террористов умирает в тюрьме, находятся люди, которые утверждают, что заключенного убили тюремщики.

Через две недели после смерти Петры Вагнер ведомство по охране конституции получило копию заключения независимой экспертизы: Петра покончила с собой. Это заключение принесли Кристине фон Хассель, хотя последние две недели она не исполняла обязанности руководителя отдела по борьбе с экстремизмом.

Хайнц Риттген попросил ее отложить все текущие дела и подготовить доклад об истории леворадикального движения в стране. Доклад предназначался для самого канцлера, поэтому Кристи работала над ним, не отрываясь.

Всей оперативной работой в отделе занимался ее опытный заместитель из бывших полицейских. Только он и, конечно же, сам Хайнц Риттген знали, что Кристи едва ли вернется к своей работе.

Петра Вагнер оставила предсмертную записку. Об этом Кристи не знала. Петра много чего написала. Но самой оглушительной информацией были ее слова о том, что Кристина фон Хассель состоит в любовной связи с офицером КГБ и, вероятно, сама работает на русскую разведку.

Две недели письмо Петры проверяли. За Кристи следили, ее дом обыскали и нашли кое-какие сомнительные бумаги. Сами по себе они ничего не значили, но направили сыщиков по следу.

Предварительное следствие по ее делу было закончено в пятницу, и судья санкционировал задержание Кристины фон Хассель, государственной служащей, обвинявшейся в шпионаже. Но ее было решено арестовать в понедельник, чтобы не заставлять следователей работать в выходные дни.

Трудно сказать, предчувствовала ли Кристи, что все кончено. Но страх поселился в ее доме. Только внешне ничего не изменилось. Порядок и самодисциплина превыше всего. В половине шестого подъем, гимнастика, душ. Затем просыпался ребенок. Вместе завтракали, потом ребенка следовало отвезти в спецшколу и самой отправляться на работу.

В конторе тоже все было, как прежде. Элегантный начальник каждое утро целовал ей руку и желал удачного дня. В обеденный перерыв коллеги жужжали в служебном буфете, вполголоса обсуждая последние новости из Восточной Германии, которые устаревали прежде, чем их успевали осмыслить.

Правда, никогда еще не было столько работы. Шифровки сыпались из Берлина и Москвы, как из мешка. Но начальник запрещал ей отвлекаться на текущие телеграммы и оставаться в кабинете сверхурочно.

— Занимайтесь докладом и сыном, — мягко говорил он.

Весь день Кристи методично вгрызалась в бумаги, как врубовый комбайн в твердую породу. В четверть седьмого она вставала из-за идеально чистого стола. Запирала сейф и выходила из комнаты. Дежурный охранник при ее появлении вставал и прикладывал ладонь к козырьку фуражки:

— До свидания.

Вечером темнело рано. Когда сын появлялся из школьных дверей, его лицо трудно было разглядеть под козырьком вязаной шапочки. Они вместе ужинали, делали уроки, потом сидели в гостиной у телевизора.

Это был большой и светлый дом с гаражом и с небольшим участком земли, на котором, помимо обязательных цветов, стояли две большие деревянные фигуры, изображавшие деревянных рыцарей. Фигуры красили осенью, чтобы они не сгнили за зиму, и весной, чтобы обновить.

Это был молчаливый дом. Если в комнате или на кухне звучали громкие голоса, то они доносились из радиоприемника или телевизора. Около полуночи она включала мощный радиоприемник, настроенный на волну одной и той же далекой радиостанции, которая передавала классическую музыку, лишь изредка прерывая ее прогнозом погоды.

Иногда прогноз бывал утешительным и даже оптимистическим, и тогда дом наполнялся радостью. Но ноябрьская погода не радовала.

По традиции каждый вечер приемник продолжали включать, но от зажигательной мелодии атмосфера в доме становилась еще мрачнее. Ребенок ничего не понимал и виновато шел спать в свою комнату на втором этаже.

Он клал рядом с собой на подушку любимого плюшевого медвежонка по имени Майкл и делился с ним собственными тревогами. У медвежонка был костюмчик из зеленого вельвета и кожаные тапочки, которые каждый вечер аккуратно ставились у кровати.

В жизни медвежонка ничего не менялось. Поэтому он и не заметил, что в доме поселился страх. И он нисколько не беспокоился, слыша доносившиеся снизу неуверенные шаги.

Кто-то ходил и ходил по кухне от окна к двери вокруг круглого деревянного стола. Стол был самодельный, гладко струганный, красить его не стали, и от него по-прежнему пахло свежим деревом. Это была странная походка неуверенного в себе и чем-то сильно напуганного человека.

А в остальное время в доме царила тишина, лишь изредка нарушаемая телефонными звонками или мягким шумом проезжающих мимо машин. Впрочем, говорить в доме особенно было некому.

Медвежонок Майкл, давным-давно купленный в магазине «Херти», сначала рычал, когда его укладывали на спину, а потом замолчал. А ребенок был молчаливым от рождения. Он появился на свет через восемь с половиной месяцев после возвращения Кристины из Бейрута.

Ее мечта о свадьбе с Конни и о большой семье все отдалялась и отдалялась. При каждой встрече Конни прижимался к ней и просил подождать: Москве нужна информация, а свадьба подождет.

В Бейруте Кристи твердо решила, что ей пора родить от Конни сына. Она перестала пользоваться противозачаточными пилюлями. Коллеги удивились, когда она забеременела. Но по крайней мере в наше время не надо никому объяснять, кто отец твоего ребенка.

В Москве были недовольны, потому что на несколько месяцев она выбыла из активной работы.

Мальчик родился с замечательными золотыми волосиками, точная копия Конни. Но когда мальчик подрос, он стал стремительно темнеть. И с каждым годом он все больше походил на покойного Башира Амина, молодого ливанского политика, который пробыл на посту президента своей страны всего двадцать три дня.

В понедельник, когда Кристина фон Хассель делала утреннюю гимнастику, к ее дому подъехали две автомашины. В комнате играла музыка, и Кристи ничего не услышала. Она вздрогнула, когда резко и требовательно прозвонил звонок. Она открыла дверь, и в комнату вошли двое полицейских в форме и шестеро в штатском. Ей предъявили ордер на обыск и арест.

Она вспомнила, что однажды в ее квартиру уже врывались стражи порядка. Это было в Москве, бог знает, как давно. Тогда все обошлось. Именно поэтому сейчас не обойдется.

Вслед за полицейскими в дом вошел ее начальник Хайнц Риттген. Он, ничего не говоря, протянул ей толстый конверт. Это было предсмертное письмо Петры Вагнер.

Для Кристи в нем было мало интересного. Биографию своей подруги она знала досконально. Новым для нее было признание в любви. Петра написала, что все эти годы любила Кристи и страдала от неразделенного чувства. Петра подробно описала, как она увидела Кристи с Конни в Бейруте, пересказала разговоры с капитаном госбезопасности Хоффманом и советским разведчиком Конрадом Целлером. Она бы никогда не выдала Кристи, если бы не поняла, что та просто использовала Петру.

Петра только не знала, кому именно Кристи передавала то, что узнавала от нее, — западногерманскому ведомству по охране конституции или московскому КГБ?

Кристи равнодушно скользила по неровным строчкам предсмертного письма. У Петры был отвратительный почерк.

В глаза бросился только рассказ о том, что Петра провела ночь с Конни.

Теперь она узнала, что ее любимый Конни, которому она посвятила всю жизнь, ради которого предала свою страну и стала шпионкой, женат, у него есть любимая жена, семья, дети.

Значит, ее любимый Конни был готов переспать с любой, кто расставит ноги. Конни просто пользовался ей, как она сама пользовалась Петрой.

Но самое ужасное состояло в том, что Конни сказал Петре. Он сказал, что никогда не любил Кристи, что в постели она просто ноль.

Может быть, Петра просто придумала это из ревности, чтобы побольнее уязвить Кристи? Теперь Кристи уже никогда не узнает правды.

— Нам нужно обыскать детскую комнату, — сказал полицейский.

Кристи поднялась с ними наверх и включила свет в детской комнате, чтобы разбудить ребенка. Она автоматически посмотрела на часы и неодобрительно подумала, что ребенок должен был встать уже тридцать пять минут назад.

Ее сынишка, которого она теперь не скоро увидит, сладко спал, скинув с себя одеяло.

Она смотрела на ребенка и не могла решить, чьим сыном она хотела бы считать своего мальчика. Сыном Конни, который предал ее? Или сыном Башира, которого предала она?

СОДЕРЖАНИЕ

Леонид Михайлович Млечин

МЕДОВАЯ ЛОВУШКА

Редактор *М. Степанова*

Технический редактор *Л. Фирсова*

Корректор *А. Максимова*

Налоговая льгота — общероссийский классификатор продукции
ОК-005-93, том 2; 95 3000 — книги, брошюры.

ЛР № 0071584 от 22.01.98.
Подписано в печать с готовых диапозитивов издательства 12.02.01. Формат 84×108/32.
Гарнитура таймс. Печать офсетная. Усл. печ. л. 15,12. Уч.-изд. л. 11,5.
Тираж 5000 экз. Заказ 147.

Издательство «Детектив – Пресс»
119121, Москва, 1-й Неопалимовский пер., 16/13

АООТ «Тверской полиграфический комбинат»
170024, Тверь, проспект Ленина, 5

В 1999 — 2001 годах
в издательстве
«ДЕТЕКТИВ – ПРЕСС»
вышли следующие книги:

Михаил Максимов

«ЗАПИСКИ СЫЩИКА»

Андрей Евдокимов

«АВСТРИЙСКАЯ ПЛОЩАДЬ,
или Петербургские игры»

Юрий Скуратов

«ВАРИАНТ ДРАКОНА»

Владимир Марковчин

«ФЕЛЬДМАРШАЛ ПАУЛЮС:
от Гитлера к Сталину»

Гелий Рябов

«КОНЬ БЛЕДНЫЙ
ЕВРЕЯ БЕЙЛИСА»

Эдуард Хруцкий

«КРИМИНАЛЬНАЯ МОСКВА»

Жан Таратута,
Александр Зданович

«ТАИНСТВЕННЫЙ ШЕФ МАТА ХАРИ
Секретное досье КГБ № 21152»

Сергей Громов

«ЗАПИСКИ «ВАЖНЯКА»

Гусар
2000
Битва за качество,
доблестная защита.
Производство стальных дверей
с декоративной отделкой ценными породами дерева
Подробная информация по тел.:
(095)242-8261
с 18 до 22 ежедневно 539-8473
Адрес: Фрунзенская наб., 30, пав. 13, 1 этаж, место 3
E-mail: www.metalldveri.ru

8-